S0-ADD-977

Die gegenwärtige Debatte um Heidegger krankt daran, daß es nicht gelingt, den politischen Heidegger mit dem Philosophen, seine praktischen Entscheidungen nicht mit den entscheidenden Figuren seines Denkens zusammenzubringen. Die beiden neuen Texte Derridas zeigen, warum man Heidegger wieder lesen muß. Und sie zeigen, wie man es nach dem Streit um Heideggers Engagement für den Nationalsozialismus tun muß. Denn es geht darum, über das Schema reiner Zurechnung („War Heidegger ein Nazi oder nicht?") hinauszukommen, das nichts erklärt.
Derrida befragt den Heideggerschen Text nach den Bedingungen eines philosophischen Nationalismus. Seit Fichtes Reden an die deutsche Nation ist dieser Nationalismus eine deutsche Tradition, diese Tradition brauchte Heidegger nur zu beerben.
Der zweite Text fragt, ob die Geschlechterdifferenz die ontologische Differenz in Frage stellt oder ob sie ihr ohne weiteres unterzuordnen ist. Um die Heimsuchung durch die Radikalität der sexuellen Differenz zu vermeiden, wird sie bei Heidegger ontologisch entschärft, sie wird zur „transzendentalen Zerstreuung."

Der Autor, geboren 1930, lehrt Philosophie in Paris und in den USA.

GESCHLECHT (HEIDEGGER)

EDITION PASSAGEN 22

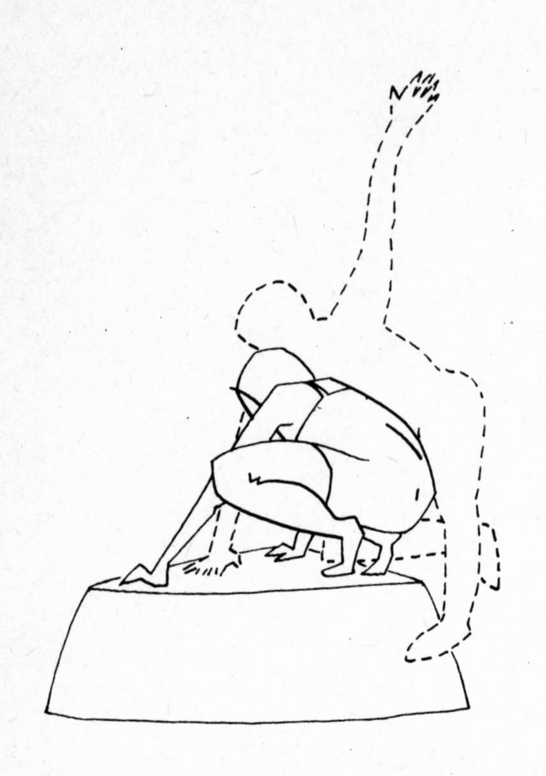

Jacques Derrida

Geschlecht (Heidegger)
Sexuelle Differenz, ontologische Differenz
Heideggers Hand (Geschlecht II)

Herausgegeben von
Peter Engelmann

Edition Passagen

Titel der Originalausgabe:
Geschlecht: différence sexuelle, différence ontologique
La main de Heidegger (Geschlecht II)
Beide Texte finden sich in: Jacques Derrida, Psyché.
Inventions de l'autre
Aus dem Französischen von Hans-Dieter Gondek
Deutsche Erstausgabe

CIP-Kurztitelaufnahme der Deutschen Bibliothek

Derrida, Jacques
Geschlecht (Heidegger) / Jacques Derrida. [Aus d. Franz. von Hans-Dieter Gondek]. – Dt. Erstausg. – Wien: Passagen-Verl.; Wien: Böhlau, 1988
(Edition Passagen; 22)
Enth.: Sexuelle Differenz, ontologische Differenz [Einheitssacht.: Geschlecht: différence sexuelle, différence ontologique <dt.>].
Heideggers Hand [Einheitssacht.: La main de Heidegger (Geschlecht II) <dt.>]
ISBN 3-900767-12-2
NE: GT

ISBN 3-900767-12-2

Distributed by Böhlau Verlag Ges.m.b.H. & CO.KG, Wien
Graphisches Konzept: E. Bonk, G. Eichinger, Chr. Knechtl für AG Normdesign, Wien–Köln
Zeichnung: Gregor Eichinger
Satz: Ungarisches Filmsatzzentrum, Budapest
Druck: Interpress-Druckerei Szeged, Ungarn

Inhalt

Geschlecht

sexuelle Differenz, ontologische Differenz[1]

für Ruben Berezdivin

Über das Geschlecht, ja, das kann man leicht beobachten, spricht Heidegger so wenig wie möglich, und vielleicht hat er es niemals getan. Vielleicht hat er niemals – unter diesem Namen, unter den Namen, unter denen wir sie kennen: „sexuelle-Beziehung", „sexuelle-Differenz" und selbst noch „der-Mann-und-die-Frau" – etwas gesagt. Dieses Schweigen, doch, das kann man leicht beobachten. Genauso wie man sagen kann, daß diese Beobachtung es sich etwas zu leicht macht. So, als würde sie sich mit einigen wenigen Anzeichen zufrieden geben und über ein „alles spielt sich ab, als ob..." ihre Schlußfolgerungen ziehen. Mühelos, aber nicht gefahrlos würde man damit das Dossier wieder schließen: alles spielt sich ab, als ob es beim Lesen von Heidegger keine sexuelle Differenz und nichts im Hinblick auf den Mann/den Menschen *(l'homme)*, mit anderen Worten: die Frau, zu fragen oder zu vermuten gäbe, nichts, das einer Frage würdig, *fragwürdig**, wäre. Alles spielt sich ab, würde man folgern, als ob eine sexuelle Differenz nicht auf einer Höhe mit der ontologischen Differenz wäre: als wäre sie gegenüber der Frage des Sinns von Sein alles in allem genauso zu vernachlässigen wie eine beliebige Differenz, eine festgelegte Unterscheidung, ein ontisches Prädikat. Zu Vernachlässigen im Hinblick auf das *Denken*, versteht sich, auch wenn sich das bezüglich der Wissenschaft oder der Philosophie keineswegs so verhält. Doch insofern es sich auf die Seinsfrage hin öffnet, insofern es Bezug hat zum Sein, in genau dieser Bezugnahme wäre das *Dasein** nicht eines, das ein Geschlecht trägt. Der Diskurs über die Sexualität wäre somit den Wissenschaften und den Philosophien des Lebens, der Anthropologie, der Soziologie, der Biologie, vielleicht sogar noch der Religion beziehungsweise der Moral überlassen.

Die sexuelle Differenz wäre nicht auf einer Höhe mit der ontologischen Differenz, sagten wir, hörten wir sagen. Daß man billigerweise weiß, nach der Höhe bräuchte man gar nicht erst zu fragen, weil das Denken der Differenz frei davon ist, eine solche einzunehmen, ändert nichts daran, daß es dem Schweigen an Höhe nicht mangelt. Man kann dieses Schweigen sogar als hochmütig empfinden, ja geradezu als arrogant und provozierend in einem Jahrhundert, in dem die Sexualität – Gemeinplatz/gemeinsamer Ort aller Geschwätzigkeiten – auch zum gängigen Kleingeld der philosophischen und wissenschaftlichen „Wissensbestände", zum unvermeidlichen *Kampfplatz** der Ethiken und der Politiken wird. Doch darüber von Heidegger nicht ein Wort! Man könnte dieses Schauspiel eines hartnäckigen Stummbleibens mitten im Zentrum der Konversation, im ununterbrochenen und zerstreuten Gesumme des Zusammenredens, als großen Stil empfinden. Für ihn allein hat es den Wert eines Erwachens (aber worüber spricht man überhaupt rund herum um dieses Schweigen?) und auch eines Erweckens: wer um ihn herum und erst recht ihm voraus hat nicht über die Sexualität, als solche, wenn sich das sagen ließe, und unter diesem Namen geschwätzt? Alle Philosophen der Tradition haben es gemacht, zwischen Platon und Nietzsche, welche ihrerseits nicht den Mund halten konnten zu diesem Sujet. Kant, Hegel und Husserl haben ihr einen Platz eingeräumt, sie haben ein Wort darauf verwandt zumindest in ihrer Anthropologie oder in ihrer Philosophie der Natur – und in Wahrheit überall.

Ist es unvorsichtig, auf das offensichtliche Schweigen Heideggers zu vertrauen? Wird sich die getroffene Feststellung/das amtliche Protokoll *(le constat)* in ihrer/seiner vornehmen philologischen Versicherung überhaupt noch durch irgendeine bekannte oder neue Passage aufstören lassen, wenn eine Heidegger vollständig durchkämmende[2] Lesemaschine es zustande bringen wird, die Sache und das jeweilige Wild des Tages aus der Stellung aufzujagen? Noch wird man des Denkens bedürfen, die Maschine zu programmieren, des Denkens, des dabei Denkens, und zu wissen, wie man es macht. Nun, was wird als Schlagwortverzeichnis dienen? Welchen Worten soll man Vertrauen schenken? Allein den Namen? Und welcher sichtbaren oder unsichtbaren Syntax? Kurz, an welchen Zeichen werdet Ihr erkennen können, daß er das sagt oder schweigt, was Ihr so unbefangen die sexuelle Differenz nennt? Was denkt Ihr unter diesen Worten oder durch sie hindurch?

Womit würde man sich, damit ein so beeindruckendes Schweigen sich heutzutage bezeigen *(marquer)* läßt, auf daß es als solches, bezeichnet *(marqué)* und bezeichnend *(marquant)* in Erscheinung tritt, in der Mehrheit der Fälle zufrieden geben? Sicherlich mit folgendem: Heidegger hätte nichts über die Sexualität gesagt, unter diesem Namen, an den Stellen, wo die aufgeklärteste und bestens ausgestattete „Moderne" in der Rüstung eines „alles-ist-sexuell-und-alles-ist-politisch-und-das-wechselseitig" festen Fußes auf ihn gewartet hat (halten Sie an der Passage/im Übergang fest, daß das Wort „politisch" bei Heidegger sehr selten und vielleicht auch gar nicht verwandt wird; und das ist eine Sache, die wiederum nicht ohne Bedeutung ist). Noch bevor man mit einer Statistik ankommt, scheint die strittige Angelegenheit somit erledigt zu sein. Indes werden wir gute Gründe haben, dieses zu glauben, und die Statistik wird hierin das Verdikt bestätigen: über das, was wir unangefochten die Sexualität nennen, hat Heidegger sich ausgeschwiegen. Ein transitives und signifikantes Schweigen (er hat das Geschlecht verschwiegen), das, so wie er es von einem bestimmten *Schweigen** sagt *(„hier in der transitiven Bedeutung gesagt*“*[3]*)*, auf den Weg eines Sprechens gehört, welches es zu unterbrechen scheint. Doch welches sind die Orte dieser Unterbrechung? Wo bearbeitet das Schweigen den Diskurs? Und welches sind die Formen, welches sind die bestimmbaren Umrisse dieses Un-gesagten?

Man kann darauf wetten *(parier)*, nichts hält in der Bewegung inne an den Orten, welche die Spitzen der genannten Rüstung je im rechten Augenblick/im genannten Punkt anweisen werden:[4] Vergessen, Verdrängung, Verneinung, Verwerfung, und gar noch Ungedachtes.

Sollte die Wette *(pari)* verloren gehen, verdiente dann die Spur dieses Schweigens den Umweg nicht? Es verschweigt nicht irgendetwas, und diese Spur kommt nicht von irgendwoher. Doch weshalb die Wette? Weil, bevor man wahrsagt, was es mit der „Sexualität“ auf sich habe, es geboten ist, das Glück, den Zufall, das Geschick anzurufen – wir werden das bewahrheiten.

Gegeben sei nunmehr eine sogenannte „moderne“ Lektüre, eine durch Psychoanalyse gerüstete *(parée)* Forschung, eine sich auf das Ganze einer anthropologischen Kultur berufende Untersuchung. Was sucht sie? Wo sucht sie? Wo glaubt sie sich im Recht der Erwartung wenigstens eines Zeichens, einer Anspielung, wie elliptisch auch immer, eines Rückverweises von seiten der Sexualität, der sexuellen Beziehung, der sexuellen Differenz? Zunächst einmal in *Sein und Zeit*. War die existenziale Analytik des *Daseins** einer Fundamentalanthropologie nicht hinreichend nah, um einer Vielzahl von Zweideutigkeiten und Fehlgriffen im Hinblick auf die in Anspruch genommene *„réalité humaine“*,

„menschliche Wirklichkeit", wie man in Frankreich übersetzt hat, stattzugeben? Nun, selbst in den Analysen des In-der-Welt-Seins sowie des Mitseins mit Anderen, der Sorge an sich und auch als *„Fürsorge*"* suchte man, wie es scheint, vergebens danach, von einem Diskurs über das Begehren und die Sexualität geködert zu werden. Man könnte daraus folgenden Schluß ziehen: die sexuelle Differenz ist kein Wesensmerkmal/kein wesentlicher Zug *(trait essentiel)*, sie gehört der existenzialen Struktur des *Daseins** nicht an. Das Dasein, das *Da*-sein, das *Da* des Seins als solches trägt keinerlei sexuelle Markierung. Gleiches gilt also auch für die Lektüre des Sinns von Sein, denn, *Sein und Zeit* sagt es ganz deutlich (§ 2), das *Dasein** bleibt, für eine solche Lektüre, das exemplarische Seiende.[5] Selbst wenn man annehmen möchte, daß nicht jede Bezugnahme auf die Sexualität ausgestrichen wird beziehungsweise daß diese als Implikation Bestand hat, so käme es dazu allein in dem Maße, in dem eine derartige Bezugnahme – neben einer Vielzahl anderer – die ganz allgemeinen Strukturen voraussetzt *(In-der-Welt-Sein als Mit- und Selbstsein*, Räumlichkeit*, Befindlichkeit*, Rede*, Sprache*, Geworfenheit*, Sorge*, Zeitlichkeit*, Sein zum Tode*)*. Doch unabdingbarer Leitfaden für einen privilegierten Zugang zu diesen Strukturen ist sie nie und nimmer.

Die Angelegenheit *(cause)* scheint sich erledigt zu haben, möchte man sagen. *Und dennoch*!* (Heidegger macht öfter, als man glauben möchte, von dieser rhetorischen Wendung Gebrauch: und dennoch! Ausrufezeichen, Absatz.)

Und dennoch war die Sache *(chose)* so wenig oder so schlecht erledigt, daß Heidegger sich alsbald dazu erklären mußte. Er mußte es tun am Rande *(en marge)* von *Sein und Zeit*, wenn man als Rand eine Vorlesung *(un cours)* im Sommer 1928 in der Universität Marburg an der Lahn bezeichnen kann.[6] In dieser Vorlesung ruft er einige „Leitsätze" über „Das Transzendenzproblem und das Problem von Sein und Zeit" (§ 10) ins Gedächtnis zurück. Die existenziale Analytik des *Daseins** kann nur in der Perspektive einer Fundamentalontologie durchgeführt werden. Das ist der Grund, weshalb es sich dabei nicht um eine „Anthropologie" und auch nicht um eine „Ethik" handelt. Eine solche Analytik hat allein „vorbereitenden" Charakter, und die „Metaphysik des *Daseins**" steht noch nicht „im Zentrum" des Unternehmens, was eindeutig den Gedanken zuläßt, daß sie dennoch auf dem Programm steht.

Genau über den *Namen* des *Daseins** werde ich hier die Frage der sexuellen Differenz einführen.

Warum wird das Seiende, welches das Thema dieser Analytik bildet, *Dasein** genannt? Warum gibt das *Dasein** dieser Thematik seinen „Titel"? In *Sein und Zeit* hatte Heidegger die Wahl dieses „exemplarischen Seienden" im Hinblick auf die *Lektüre* des Sinns von Sein begründet. „An *welchem* Seienden soll der Sinn von Sein abgelesen werden...?"[7] In letzter Instanz führt die gegebene Antwort zu den „Seinsmodi eines bestimmten Seienden, *des* Seienden, das wir, die Fragenden, je selbst sind".[8] Wenn die Wahl dieses exemplarischen Seienden in seinem „Vorrang" somit Gegenstand einer Begründung ist (was auch immer man darüber denken mag und nach welcher Axiomatik sie auch erfolgt), so scheint Heidegger dagegen, zumindest in dieser Passage, per Dekret vorzugehen, wenn es darum geht, dieses exemplarische Seiende zu *benennen* und ihm ein für alle Mal seinen terminologischen Titel zu geben: „Dieses Seiende, das wir selbst je sind und das unter anderem *die Seinsmöglichkeit des Fragens** hat, *fassen wir terminologisch als Dasein**"[9] [*nous le saisissons, l'arrêtons, l'appréhendons „terminologiquement" comme être-là* – wir fassen es auf, halten es fest, erfassen es terminologisch als Dasein]. Diese „terminologische" Wahl findet zwar seine grundlegende Begründung über das ganze Unternehmen und das ganze Buch hinweg in der Explikation eines *Da* und eines *Da-seins*, das unter dem Gebot keiner (beinahe keiner) weiteren Vorbestimmung stehen soll. Doch damit wird dieser vorgreifenden Behauptung, dieser Deklaration des Namens nicht der Schein des Dezisionistischen, Brutalen und Elliptischen genommen. Im Gegensatz dazu erfährt der Titel *Dasein** – seinem Sinn sowie seinem Namen nach – in der Marburger Vorlesung eine weitaus geduldigere Bestimmung, Erläuterung und Bewertung. Nun, der erste von Heidegger hervorgehobene Zug ist die *Neutralität*. Der erste Leitsatz heißt: „Für das Seiende, das Thema der Analytik ist, wurde nicht der Titel ‚*Mensch**', sondern der neutrale Titel ‚*das Dasein**' gewählt."[10]

Der Begriff der Neutralität stellt sich zunächst als ein Begriff von ganz allgemeiner Geltung dar. Es geht darum, über die Neutralisierung jegliche anthropologische, ethische oder metaphysische Vorbestimmung zu reduzieren oder herauszuziehen, mit dem Ziel, nur eine Art Selbstbeziehung *(rapport à soi)*, eine entblößte Beziehung auf das Sein des eigenen Seienden, zurückzubehalten. Es ist die minimale Selbstbeziehung als Beziehung zum Sein, als die Beziehung, welche das Seiende, das wir als Fragende sind, mit sich selbst und seinem eigenen Wesen unterhält. Diese Selbstbeziehung ist keine Beziehung auf ein „Ich", gewiß nicht, und auch nicht die auf ein Individuum. Das *Dasein** bezeichnet also das Seiende, welches, in „einem bestimmten Sinn", nicht „indifferent" ist gegen sein eigenes Wesen, oder dem sein eigenes Sein nicht indifferent ist. Die Neutralität ist folglich an erster Stelle die Neutralisierung von allem, was nicht das bloße Merkmal/der reine Zug dieser Selbstbeziehung, dieses Interesses für sein eigenes Sein – im weitesten Sinne des Wortes „Interesse" – ist. Damit wird ein Interesse oder eine Offenheit des Vorverständnisses für den Sinn von Sein und die dem zugeordneten Fragen impliziert. Und dennoch!

Und dennoch wird die Erläuterung dieser Neutralität durch einen Sprung, übergangslos und vom folgenden Punkt an (dem zweiten Leitsatz) zur *sexuellen* Neutralität und sogar zu einer bestimmten *Geschlechtslosigkeit** des Daseins hin vorrücken. Dieser Sprung erfolgt überraschend. Hätte Heidegger nur Beispiele angeben wollen, so hätte er unter den aus der Analytik des Daseins zu entfernenden Bestimmungen, im besonderen unter den anthropologischen Merkmalen, die es zu neutralisieren galt, nichts anderes zum Hindernis gehabt als die Qual der freien Wahl. Nun, er beginnt – und im übrigen beschränkt er sich auch darauf – mit der Sexualität, genauer, mit der sexuellen Differenz. Ihr kommt also ein Vorrang zu, und sie scheint auch in erster Linie – folgt man den Aussagen in der Logik ihrer Verknüpfung – zu dieser „faktischen Konkretion" zu gehören, mit deren Neutralisierung die Analytik des *Daseins* den Anfang zu machen* hat. Wenn die Neutralität des Titels *„Dasein*"* wesentlich ist, so hat das seinen Grund darin, daß die Interpretation des Seienden – welches *wir* sind – *vor* und *außerhalb* einer Konkretion dieses Typus angegangen werden muß. Das *erste* Beispiel der „Konkretion" wäre also die Zugehörigkeit zu dem einen oder zu dem anderen der Geschlechter. Heidegger läßt keinen Zweifel daran, daß es derer zwei sind: „Diese Neutralität besagt *auch* [Hervorhebung von mir – J. D.], daß das *Dasein* keines von beiden Geschlechtern ist*."[11]

Sehr viel später, und auf jeden Fall dreißig Jahre danach, wird das Wort *„Geschlecht*"* mit seiner ganzen polysemischen Reichhaltigkeit beladen werden: Geschlechtszugehörigkeit *(sexe)*, Gattung, Familie, Stamm, Rasse, Abstammung, Generation. Heidegger wird in der Sprache, hinweg über unersetzbare Bahnungen – worunter wir Bahnungen verstehen, die unzugänglich sind für eine gewöhnliche Übersetzung –, hinweg über labyrinthische, verführerische, beunruhigende Wege, dem Abdruck von häufig verschlossenen Wegen folgen. Noch verschlossenen, hier durch die Zwei. Zwei, das kann nur, so scheint es, die Zahl der Geschlechter sein, das, was man die Geschlechter nennt.

Ich habe das Wort *„auch“* („diese Neutralität besagt *auch*...“) hervorgehoben. Aufgrund seiner Stellung in der logischen und rhetorischen Verknüpfung ruft dieses „auch“ in Erinnerung, daß unter den zahlreichen Bedeutungen dieser Neutralität es Heidegger für notwendig erachtet, nicht mit der sexuellen Neutralität zu beginnen – deshalb sagt er „auch“ – daß er aber dennoch *sofort nach der einzigen* allgemeinen Bedeutung, welche er bis hierhin in dieser Passage markiert hat: dem *menschlichen* Charakter, dem Titel *„Mensch*“* als Thema der Analytik, damit beginnt. Dieser Titel ist der einzige, den er bis hierhin ausgeschlossen oder neutralisiert hat. Infolgedessen kommt es dabei zu einer Art Übereilung oder Beschleunigung, welche nicht neutral oder indifferent sein dürfte: unter all den Merkmalen für die Humanität des Menschen, die auf diese Weise zusammen mit der Anthropologie, der Ethik oder der Metaphysik ihre Neutralisierung erfahren, ist die Sexualität das erste, woran bereits das Wort der Neutralität denken läßt, das erste jedenfalls, woran Heidegger denkt. Die Veranlassung kann nicht nur aus der Grammatik herkommen, das ist selbstverständlich. Vom *Menschen**, ja vom *Mann**, zum *Dasein** überzugehen, das heißt gewiß, vom Männlichen zum Neutrum überzugehen, und das heißt auch, zu einer bestimmten Neutralität überzugehen, die als das *Dasein** oder das *Da** des *Seins** von dem Transzendenten her gedacht oder gesagt wird, welches *das Sein** ist *(„Sein ist das transcendens schlechthin.*“[12])*; und überdies hängt eine derartige Neutralität vom nicht-generischen und nicht-spezifischen Charakter des Seins ab: „Das Sein als Grundthema der Philosophie ist *keine Gattung** eines Seienden..."[13] Doch sei es noch einmal betont: wenn die sexuelle Neutralität nicht ohne jede Beziehung zum Sagen, zum Sprechen und zur Sprache zu sein vermag, so wüßte man sie nicht auf eine Grammatik zurückzuführen. Heidegger bezeichnet diese Neutralität – mehr, als daß er sie beschreibt – als eine existenziale Struktur des *Daseins**. Aber warum betont er sie plötzlich/auf einen Schlag mit derart großem Eifer? Während er in *Sein und Zeit* nichts darüber gesagt hatte, figuriert hier die Geschlechtslosigkeit* auf dem ersten Rang der Merkmale/Züge, die es zu erwähnen gilt, wenn man die Neutralität des *Daseins**, oder mehr noch: des Titels „*Dasein**", ins Gedächtnis zurückruft. Weshalb?

Man kann an einen primären Grund denken. Schon das Wort *Neutralität** *(ne-uter)* induziert die Bezugnahme auf eine Binarität. Wenn das *Dasein** neutral/weder das eine noch das andere ist, und wenn das Dasein nicht der Mensch* ist, so ergibt sich als *primäre* Schlußfolgerung, die daraus zu ziehen ist, dieses, daß es sich nicht der binären Teilung unterwirft, an die man in diesem Fall ganz spontan denkt, der „sexuellen Differenz" nämlich. Wenn „Dasein" nicht „*Mensch**" heißt, so bezeichnet es *a fortiori* weder „Mann" noch „Frau". Doch wenn die Schlußfolgerung dem gesunden Menschenverstand so nahe ist, warum muß man sie dann ins Gedächtnis zurückrufen? Und vor allem: warum sollte man dann so große Mühe haben, sich im weiteren Verlauf der Vorlesung von einer überdies so eindeutigen und erwiesenen Sache freizumachen? Sollte man denken, daß die sexuelle Differenz nicht so einfach dem zuzurechnen ist, was die Analytik des *Daseins** alles neutralisieren kann und muß, der Metaphysik, der Ethik und vor allem der Anthropologie, ja auch der weiteren Bereiche ontischen Wissens, zum Beispiel der Biologie oder der Zoologie? Muß man den Verdacht hegen, die sexuelle Differenz ließe sich nicht auf ein anthropologisches oder ethisches Thema zurückführen?

Heideggers vorsichtige Beharrlichkeit läßt jedenfalls den Gedanken aufkommen, daß die Dinge nicht selbstverständlich sind. Hat man erst einmal die Anthropologie (ob fundamental oder nicht) neutralisiert und gezeigt, daß sie nicht die Seinsfrage einbinden oder als solche in dieser eingebunden werden konnte, hat man erst einmal ins Gedächtnis zurückgerufen, daß das *Dasein** sich weder auf das Mensch-Sein noch auf das Ich, weder auf das Bewußtsein noch auf das Unbewußte, weder auf das Subjekt noch auf das Individuum und auch nicht auf das *animal rationale* zurückführen läßt, so sollte man glauben können, daß die Frage der sexuellen Differenz keine Chance hätte, auf ein gemeinsames Maß mit der Frage nach dem Sinn von Sein oder nach der ontologischen Differenz zu kommen, und daß nicht einmal der Abschied von ihr eine vorrangige Behandlung erfahren müßte. Doch unzweifelhaft spielt sich das Gegenteil ab. Heidegger kommt kaum dazu, die Neutralität des *Daseins** ins Gedächtnis zurückzurufen, und, siehe da, ist er auch schon zu einer Präzisierung genötigt: Neutralität *auch,* was die sexuelle Differenz angeht. Vielleicht hat er damals auf mehr oder weniger explizite, naive oder aufgeklärte Fragen von seiten seiner Leser, seiner Studenten, seiner – willentlich oder unwillentlich – noch im Raum der Anthropologie befangenen Kollegen geantwortet. Wie steht es mit dem Sexualleben ihres *Daseins**?, werden sie immer noch gefragt haben. Und nachdem er auf die Stirn, die ihm in dieser Frage geboten wurde, geantwortet und die Frage disqualifiziert hatte, kurz, nachdem er die Geschlechtslosigkeit *(l'asexualité)*[14] eines Daseins, welches nicht der *anthropos* war, ins Gedächtnis zurückgerufen hatte, will Heidegger einer zweiten Frage und vielleicht auch einer neuerlichen Einwendung entgegentreten. Doch da werden die Schwierigkeiten nur noch größer.

Ob es sich um Neutralität* oder Geschlechtslosigkeit* handelt, die Worte akzentuieren in starker Weise eine Negativität, die sich ersichtlich dem widersetzt, was Heidegger auf diese Weise markieren möchte. Es handelt sich hierbei nicht um sprachliche oder grammatikalische Zeichen auf der Oberfläche eines unangetastet verbleibenden Sinns. Durch die so offenkundig negativen Prädikate hindurch muß sich etwas zu lesen geben, welches Heidegger ohne zu zögern eine „Positivität*", einen Reichtum und sogar, in einem hier sehr belasteten Code, eine „Mächtigkeit*" nennt. Diese Präzisierung gibt zu bedenken, daß die a-sexuelle/die ungeschlechtliche Neutralität keine desexualisierende ist, im Gegenteil; sie entfaltet ihre *ontologische* Negativität nicht im Hinblick auf *die Sexualität selbst* (welche sie eher freilassen würde), sondern im Hinblick auf die Markierungen der Differenz, genauer, der *sexuellen Dualität. Geschlechtslosigkeit** gäbe es nur im Hinblick auf „zwei" Geschlechter; als Bestimmung wäre sie nur in dem Maße anzubringen, in dem man unter Sexualität unmittelbar sexuelle Binarität oder Teilung verstünde. „Aber diese Geschlechtslosigkeit ist nicht *die Indifferenz des leeren Nichtigen**, die schwache Negativität eines indifferenten ontischen Nichts. Das *Dasein** in seiner Neutralität ist nicht indifferent Niemand und Jeder, sondern die *ursprüngliche Positivität** und *Mächtigkeit des Wesens**."[15]

Wenn als solches das *Dasein** keinem der beiden Geschlechter angehört, so bedeutet das nicht, daß das Seiende, welches es ist, des Geschlechtes beraubt/geschlechtslos *(privé de sexe)* sei. Im Gegenteil, man kann hier an eine prä-differentielle oder, mehr noch, eine prä-duale Sexualität denken, was nicht notwendig eine einheitliche, homogene und undifferenzierte Sexualität bedeuten muß, wie wir später werden feststellen können. Und von dieser Sexualität aus, die ursprünglicher wäre als die Dyade, kann man den Versuch unternehmen, an deren Quelle eine „Positivität“ und eine „Mächtigkeit“ zu denken, welche „sexuell“ zu nennen Heidegger sich sehr wohl hütet, zweifellos aus Furcht, dahinein die binäre Logik, die von Anthropologie und Metaphysik immer wieder dem Begriff der Sexualität unterlegt wird, wieder einzuführen. Vielmehr soll es sich dabei um die positive und mächtige Quelle jeder nur möglichen „Sexualität“ handeln. Die *Geschlechtslosigkeit** wäre genausowenig negativ wie die *aletheia.* Zu erinnern ist an das, was Heidegger über die *„Würdigung des ‚Positiven‘ im ‚privativen‘ Wesen der aletheia**“ sagt.[16]

Der weitere Verlauf der Vorlesung bringt von da an eine ganz eigenartige Bewegung in Gang.[17] In ihr das Thema der sexuellen Differenz zu isolieren, ist äußerst schwierig. Ich wäre versucht, diese wie folgt zu interpretieren: über eine Art befremdende und höchst notwendige Verschiebung führt die sexuelle Spaltung selbst zur Negativität, und die Neutralisierung ist *zugleich* die Wirkung dieser Negativität und die Ausstreichung, der sich zu unterwerfen sie von einem Denken genötigt wird, welches eine ursprüngliche Positivität erscheinen lassen will. Weit entfernt davon, eine Positivität zu konstituieren, welche anschließend von der asexuellen Neutralität des *Daseins** annulliert würde, wäre die sexuelle Binarität selbst verantwortlich – oder besser, gehörte sie einer Bestimmung an, welche selbst verantwortlich wäre – für diese Negativierung. Für eine etwas übereilte Formalisierung oder Radikalisierung des Sinns/der Richtung *(le sens)* dieser Bewegung – einer geduldigeren Nachzeichnung vorausgehend – könnten wir folgendes Schema vorschlagen: es ist die sexuelle Differenz selbst *als Binarität,* die diskriminierende Zugehörigkeit zu dem einen oder dem anderen Geschlecht, welche eine Negativität, der man nunmehr Rechnung tragen muß, destiniert oder determiniert.

Ginge man noch weiter, so könnte man gar noch die derart bestimmte sexuelle Differenz (eins von zwei), die Negativität und eine bestimmte „Machtlosigkeit"/ „Impotenz" miteinander verknüpfen. Kommt man auf die Ursprünglichkeit des *Daseins***, dieses *Daseins***, von dem gesagt wird, es sei sexuell neutral, zurück, so vermag man die „ursprüngliche Positivität" und die „Mächtigkeit" wieder in Besitz zu nehmen.[18] Mit anderen Worten: entgegen dem Anschein stehen Asexualität und Neutralität, die es zunächst – in der Analytik des *Daseins** – der binären sexuellen Markierung zu entziehen gilt, in Wahrheit auf ein und derselben Seite, auf der Seite *jener* – der binären – sexuellen Differenz, obgleich man hätte vermuten können, daß sie zu ihr in einem einfachen Gegensatz stehen. Wäre das eine allzu gewaltsame Interpretation?

Die drei folgenden Unterparagraphen beziehungsweise Punkte (3, 4 und 5) entfalten die Motive der Neutralität, der Positivität und der ursprünglichen Mächtigkeit sowie der Ursprünglichkeit selbst, ohne explizite Bezugnahme auf die sexuelle Differenz. Die „Mächtigkeit" wird zu einer des Ursprungs*, des Urquells* – und auch sonst wird Heidegger das Prädikat des „Sexuellen" niemals direkt mit dem Wort „Mächtigkeit" verknüpfen, da doch das erste Wort in allzu leicht herstellbarer Verknüpfung mit dem ganzen System der sexuellen Differenz verbleibt, von der man behaupten kann – ohne groß Gefahr zu laufen, sich zu täuschen –, sie sei untrennbar von jeglicher Anthropologie und jeglicher Metaphysik. Besser gesagt: das Adjektiv „sexual*", „sexuell*" oder „geschlechtlich*" wird, zumindest meiner Kenntnis nach, niemals gebraucht, sondern allein die Namen *Geschlecht** beziehungsweise *Geschlechtlichkeit***,* was nicht bedeutungslos ist, denn diesen Namen fällt es leichter, zu anderen semantischen Zonen hin auszustrahlen. Später werden wir noch weiteren, sich dabei ergebenden Denkwegen nachgehen.

Doch ohne daß sie direkt davon sprechen, bereiten diese drei Unterparagraphen die Rückkehr zur Thematik der *Geschlechtlichkeit** vor. Sie streichen zunächst alle die an das Wort der Neutralität gebundenen Zeichen der Negativität aus. Dieser kommt nicht die Leerheit der Abstraktion zu; sie führt in die „Mächtigkeit des Ursprungs" zurück, der die innere Möglichkeit der Humanität in ihrer konkreten Faktizität in sich birgt. Das *Dasein** in seiner Neutralität darf nicht mit dem Existierenden verwechselt werden. Das *Dasein** existiert gewiß allein in seiner faktischen Konkretion, aber gerade diese Existenz hat ihren Urquell* und ihre innere Möglichkeit im *Dasein** als einem neutralen. Die Analytik dieses Ursprungs handelt nicht vom Existierenden selbst. Eben weil sie diesen vorausgeht, darf eine solche Analytik nicht mit einer Philosophie der Existenz, einer Weisheit (die nur in der „Struktur der Metaphysik" angelegt sein könnte), einer Prophetie oder einer Verkündung dieser oder jener „Weltanschauung" verwechselt werden. Sie ist damit alles andere als eine „Lebensphilosophie". Man kann also sagen, daß ein Diskurs über die Sexualität, der einer dieser Ordnungen (Weisheit, Wissen, Metaphysik, Lebens- oder Existenzphilosophie) angehörte, alle Anforderungen an eine Analytik des *Daseins** eben auf seine Neutralität hin verfehlte. Nun, ist jemals ein Diskurs über die Sexualität vorgestellt worden, der nicht zu einem dieser Register gehörte?

Man muß es ins Gedächtnis zurückrufen: die Sexualität wird gar nicht genannt in diesem letzten Unterparagraphen und auch nicht in jenem, der sich mit einer gewissen „Isolierung" des *Daseins** (worauf wir zurückkommen werden) befassen wird. Genannt wird sie in einem Absatz aus *Vom Wesen des Grundes* (aus demselben Jahr, 1928), in dem das gleiche Argument entwickelt wird. Das Wort findet sich dort in Anführungszeichen, in einem Einschub.[19] Die Logik des *a fortiori* schlägt darin im Ton etwas über die Strenge. Denn schließlich, wenn es wahr ist, daß die Sexualität *a fortiori, erst recht** oder *„à plus forte raison"*, wie die Übersetzung von Henry Corbin es sagt, neutralisiert werden muß, warum muß man es dann noch betonen? Wo sollte es da überhaupt noch die Gefahr eines Mißverständnisses geben? Es sei denn, die Sache sei in Wahrheit gar nicht so selbstverständlich, und man laufe Gefahr, immer noch die Frage der sexuellen Differenz mit der Frage des Seins und der ontologischen Differenz zu vermischen. In diesem Kontext geht es um die Bestimmung der Ipseität des *Daseins**, seiner *Selbstheit**, seines Selbstseins. Das *Dasein** existiert nur in Absicht-seinerselbst *(à dessein-de-soi)*, sofern man das so sagen kann, *umwillen seiner**, doch hat das weder die Bedeutung des Für-sich eines Bewußtseins noch die des Egoismus oder des Solipsismus. Erst von der *Selbstheit** aus hat eine Alternative wie die zwischen „Egoismus" und „Altruismus" eine Chance hervor- und in Erscheinung zu treten – und das gilt bereits auch für eine jede Differenz zwischen „Ichsein*" *(„être-je")* und „Dusein*" *(„être-tu")*. Stets vorausgesetzt, ist die Selbstheit somit auch gegenüber dem Ichsein *(l'être-moi)* und dem Dusein *(l'être-toi)*[20] *„und erst recht etwa gegen die ‚Geschlechtlichkeit' neutral*"*. Logisch einwandfrei ist die Bewegung dieses *a fortiori* nur unter einer Bedingung: die (in Anführungszeichen) genannte „Sexualität" müßte das gesicherte Prädikat sein von allem, was durch die Selbstheit oder von ihr aus möglich gemacht wird, hier beispielsweise die Strukturen von „Ich" und „Du", doch ohne daß sie – als Sexualität – der Struktur der Selbstheit angehörte, einer Selbstheit, die noch nicht weder als Mensch *(être humain)* noch als Ich oder Du, als Subjekt-bewußt oder unbewußt, als Mann oder Frau bestimmt sein soll. Aber wenn Heidegger darauf beharrt und es hervorhebt („erst recht", *„à plus forte raison"*), so wird auch weiterhin ein darauf lastender

Verdacht sich nicht zerstreuen lassen: und was wäre, wenn die „Sexualität" bereits die ursprünglichste *Selbstheit** markierte? Wenn es sich bei ihr um eine ontologische Struktur der Selbstheit handelte? Wenn bereits das *Da** des *Daseins** „sexuell" wäre? Und wenn die sexuelle Differenz bereits markierend in die Eröffnung des Zugangs zur Frage nach dem Sinn von Sein und zur ontologischen Differenz eingetragen wäre? Und wenn – da sie nicht von selbst geschieht – die Neutralisierung eine gewaltsame Operation wäre? Das „erst recht" *(„à plus forte raison")* ist imstande, einen schwächeren Grund zu verdecken. Die Anführungszeichen jedenfalls zeigen stets eine Art Zitierung an. Der gewöhnliche Sinn des Wortes „Geschlechtlichkeit" wird eher „erwähnt" als „gebraucht", würde man in der Sprache der *speech act theory* sagen; er wird herbeizitiert, um (vor Gericht) zu erscheinen, als Beschuldigter, wenn nicht gar als Angeklagter. Vor allem kommt es darauf an, die Analytik des *Daseins** vor den Gefährdungen durch die Anthropologie, die Psychoanalyse und auch die Biologie zu bewahren. Doch bleibt vielleicht ein Übergang eröffnet für andere Worte oder für einen anderen Gebrauch und eine andere Lektüre dieses Wortes *Geschlecht**, wenn nicht sogar des Wortes „Geschlechtlichkeit". Vielleicht wird sich ein anderes „Geschlecht" oder eher noch ein anderes *Geschlecht** in die Selbstheit einschreiben oder die Ordnung all dieser Ableitungen, beispielsweise die einer ursprünglicheren und das Hervortreten des *Ego* und des Du ermöglichenden *Selbstheit**, durcheinanderbringen. Belassen wir diese Frage in der Schwebe.

Wenn diese Neutralisierung in aller ontologischen Analyse des *Daseins** impliziert ist, so soll das nicht heißen, daß das „*Dasein** im Menschen", wie Heidegger des öfteren sagt, eine „egoistische" Singularität oder ein „ontisch isoliertes Individuum" sei. Der Ansatz in der Neutralität führt nicht zur Isolierung* *(iso-*

lement oder *insularité)* des Menschen, zu seiner faktischen und existenziellen Einsamkeit zurück. Und dennoch bedeutet der Ansatz in der Neutralität sehr wohl – und Heidegger stellt das auch eindeutig fest – eine bestimmte ursprüngliche Isolierung des Menschen: eben nicht im Sinne der faktischen Existenz, „als wäre der Philosophierende das Zentrum der Welt", sondern als „*metaphysische Isolierung* des Menschen".[21] Gerade die Analyse dieser Isolierung wird alsdann das Thema der sexuellen Differenz und der Zweiteilung in der *Geschlechtlichkeit** wieder hervortreten lassen. Im Zentrum dieser erneuten Analyse kündigt die sehr feine Ausdifferenzierung einer bestimmten Lexik bereits die Übersetzungsprobleme an, die sich für uns nur noch verschärfen werden. Es wird sich immer wieder als unmöglich erweisen, sie als akzidentiell oder sekundär hinzustellen. In einem bestimmten Moment werden wir sogar in der Lage sein wahrzunehmen, daß das Denken des *Geschlechts** und das Denken der Übersetzung wesentlich dasselbe sind. Hierbei gewährt der lexikalische Schwarm die Versammlung (oder das Ausschwärmen) der von *„dissociation"*, *„distraction"*, *„dissémination"*, *„division"*, *„dispersion"* gebildeten Reihe – wobei dem *dis-* die Aufgabe zukommt, das *zer-** der *Zerstreuung**, *Zerstreutheit**, *Zerstörung**, *Zersplitterung**, *Zerspaltung** zu übersetzen, was dieses nicht, ohne daß es zu Versetzungen und Verschiebungen kommt, zu leisten vermag. Doch eine innere und supplementäre Grenze teilt diese Lexik ein weiteres Mal: *dis-* und *zer-** haben mitunter einen negativen, mitunter aber auch einen neutralen oder nicht-negativen Sinn (ich zögere, hier von einem positiven oder affirmativen Sinn zu sprechen).

Versuchen wir, so nah wie möglich am Buchstaben zu lesen, zu übersetzen und zu interpretieren. Das *Dasein** im allgemeinen verbirgt, birgt in sich die innere Möglichkeit einer faktischen Zerstreuung* *(d'une* *dispersion ou d'une dissémination factuelle)* in die Leiblichkeit* *„und damit in die Geschlechtlichkeit*"*. Jeder reine/eigene/eigentliche Leib *(tout corps propre)* ist geschlechtet/mit einem Geschlecht versehen *(sexué)*, und er/es ist kein *Dasein** ohne eigenen Leib. Doch die von Heidegger angebotene Verknüpfung gibt ein recht klares Bild ab: die zersplitternde Mannigfaltigkeit rührt nicht an erster Stelle von der Sexualität des eigenen Leibes her; bereits der eigene Leib, das Fleisch, die *Leiblichkeit**, ziehen das *Dasein** ursprünglich in die Zersplitterung und *damit* in die sexuelle Differenz hinein. Dieses „damit*" *(„par suite")* ist von beharrlicher Wirkung über einige Zeilen an Zwischenraum hinweg, als ob das *Dasein* a priori* (als seine „innere Möglichkeit") einen Körper haben oder ein Körper sein müßte, der geschlechtet/mit einem Geschlecht versehen und von der sexuellen Differenz affiziert *sich vorfindet (se trouve)*.

Da, nochmal, ein Beharren Heideggers mit dem Ziel, daran zu erinnern, daß sowenig wie die Neutralität die Zersplitterung (sowie all jene Bedeutungen in *dis-* oder in *zer-**) in einer negativen Weise verstanden werden darf. Die „metaphysische" Neutralität des als *Dasein** isolierten Menschen ist keine leere, aus dem Ontischen oder im Sinn des Ontischen gewirkte Abstraktion, kein „Weder-noch", sondern dieses, was es an eigentlich Konkretem im Ursprung gibt, das „Noch-nicht" der faktischen Dissemination, der Dissoziation, des Dissoziiert-Seins beziehungsweise der faktischen Dissozialität: hier der *faktischen Zerstreutheit** und nicht *Zerstreuung**. Dieses dissoziierte, ent-bundene oder desozialisierte Sein (geht es doch mit der „Isolierung" des Menschen als *Dasein** einher) ist kein Fall oder Unfall, kein überraschend eingetretener Verlust. Es ist eine ursprüngliche Struktur des *Daseins**, die das Dasein zusammen mit dem Leib und *damit* auch zusammen mit der sexuellen Differenz durch Mannigfaltigkeit und Ent-bindung affiziert – wobei diese zwei wie auch immer vereinten Bestimmungen in der Analyse der *dissémination* (der *Zerstreutheit** oder *Zerstreuung**) getrennt bleiben. In seiner Angewiesenheit auf einen Körper ist das Dasein in seiner Künstlichkeit/Faktizität *(facticité)* getrennt, der Zersplitterung *(dispersion)* und der Zerstückelung *(morcellement)* unterworfen: *zersplittert** und *ineins damit** stets *in eine bestimmte Geschlechtlichkeit zwiespältig** – durch die Sexualität entzweit, verstimmt, gespalten, zerteilt, hin auf ein bestimmtes Geschlecht. Zwar haben, wie Heidegger klarstellt, diese Worte zunächst einmal einen negativen Nachklang: *dispersion, morcellement, division, dissociation, Zersplitterung**, *Zerspaltung**, ganz desgleichen *Zerstörung** *(démolition, destruction)*; dieser Nachklang ist an Begriffe gebunden, die vom ontischen Gesichtspunkt aus negativ erscheinen – was eine abwertende Bedeutung zur unmittelbaren Folge hat. „Hier aber handelt es sich um etwas anderes..." Um was? Um dieses, was die Falte einer „Mannigfaltigung" kennzeichnet *(marque)*. Die Kennzeichnung*, an der eine solche Mannigfaltigung zu erkennen ist, können wir aus der Isolierung und faktischen Besonderung des *Daseins** ablesen. Heidegger unterscheidet diese Mannigfaltigung* von einer einfachen Mannigfaltigkeit*, von einer Vielfalt. Auch die Vorstellung eines großen Urwesens, dessen Einfachheit sich auf einen Schlag in mehrere Einzelheiten zerspaltet* wiederfände, gilt es zu vermeiden. Es handelt sich vielmehr um eine Erhellung der inneren Möglichkeit zu dieser Mannigfaltigung, für die der eigene Leib/die Leiblichkeit des *Daseins** einen „Organisationsfaktor" darstellt. Die Mannigfaltigkeit ist in diesem Fall keine bloße formale Mehrheit von Bestimmungen oder Bestimmtheiten*; sie gehört zum Sein selbst. Eine *„ursprüngliche Streuung*"* gehört „seinem metaphysisch neutralen Begriff nach" bereits zum Sein des *Daseins** im allgemeinen. Diese *ursprüngliche Streuung** *(„dissémination originaire")* wird in einer ganz bestimmten

Hinsicht zur Zerstreuung* *(„dispersion")*: eine Schwierigkeit für die Übersetzung, welche mich hier dazu nötigt, etwas willkürlich zwischen *dissémination* und *dispersion* zu unterscheiden, um über eine Konvention den subtilen Zug, der zwischen *Streuung** und *Zerstreuung** unterscheidet, zu markieren. Zerstreuung ist die intensivierende Bestimmung von Streuung. Mit ihr wird eine Struktur ursprünglicher Möglichkeit, die Streuung* *(dissémination)*, all den Bedeutungen der *Zerstreuung** *(dissémination, dispersion, éparpillement, diffusion, dissipation, distraction)* gemäß bestimmt. Das Wort *„Streuung*"* taucht, wie es scheint, nur ein einziges Mal auf, um diese ursprüngliche Möglichkeit zu verzeichnen, diese Streubarkeit *(disséminalité)*, sofern man davon sprechen könnte. Alsdann immer wieder *Zerstreuung**, welche – aber das ist gar nicht so einfach – ein Bestimmungs- oder Negationsmerkmal anbringen würde, hätte uns Heidegger nicht einen Augenblick vorher vor diesem Valeur der Negativität gewarnt. Dennoch ist es, auch wenn es im streng methodischen Sinn nicht legitim ist, schwierig, eine bestimmte Ansteckung durch die Negativität und sogar durch ethisch-religiöse Assoziationen zu vermeiden, welche die Zerstreuung an ein Verfallen oder ein Verderben der ursprünglichen reinen Möglichkeit, der Streuung* – die auf diese Weise von einer supplementären Wendung affiziert zu werden scheint – zu binden versuchen. Und es wird darauf ankommen, auch die Möglichkeit oder Schicksalhaftigkeit dieser Ansteckung genau zu klären. Wir werden darauf später wieder zu sprechen kommen.

Einige Anzeichen für diese Zerstreuung*. Zu allererst bezieht sich das *Dasein** niemals auf *einen*, auf einen einzelnen Gegenstand. Sofern es doch dazu kommt, geschieht es immer nur in der Weise des Abstrahierens oder Absehens im Hinblick auf weitere Seiende, wie sie stets zu gleicher Zeit mit-erscheinen. Und die Mannigfaltigung kommt nicht aufgrund der Tatsache zustande, daß es eine Vielfalt von Gegenständen gibt; in Wahrheit findet das Umgekehrte statt. Die ursprünglich disseminale Struktur, die Zerstreuung des *Daseins** macht die Mannigfaltigkeit möglich. Das gleiche gilt für die Selbstbeziehung des *Daseins*:* es ist zerstreut, und zwar gemäß der „Struktur der Geschichtlichkeit im weitesten Sinne", in dem Maße, in dem das *Dasein** als *Erstreckung** geschieht, ein Wort, dessen Übersetzung noch einiges an Gefahren bietet. Das Wort *„extension"* wäre allzu leicht mit der *„extensio"* verknüpft, mit dem, was *Sein und Zeit* als die von Descartes vorgenommene „ontologische Grundbestimmung der Welt" interpretiert.[22] Hier aber handelt es sich um etwas anderes. *Erstreckung** ist der Name für eine Verräumlichung, welche – „vor" einer Bestimmung des Raumes in/als *extensio* – bereits das Dasein, aus dem *Da* des Seins *zwischen* Geburt und Tod, streckt und erstreckt. Als Wesensdimension des *Daseins** eröffnet die *Erstreckung** das *Zwischen,* welches sie zugleich auf ihre Geburt und ihren Tod verhält, die Bewegung der Schwebe, über die es *sich streckt* und erstreckt, sich selbst, *zwischen* Geburt und Tod – welche ihren Sinn allein aus dieser das Zwischen streckenden Bewegung gewinnen. Das *Dasein** affiziert sich selbst und diese Selbst-affektion gehört zur ontologischen Struktur seiner Geschichtlichkeit: „Die spezifische Bewegtheit des *erstreckten Sicherstreckens* nennen wir das *Geschehen* des Daseins."[23] Das fünfte Kapitel von *Sein und Zeit* setzt genau diese Streckung des Zwischen und die Zerstreuung* in Beziehung.[24] *Zwischen* Geburt und Tod markiert die Verräumlichung des *Zwischen* Abweichung und Bezug in einem, den Bezug indes gemäß einer Art Zerstreckung *(distension)*.[25] Dieser als Bezug* *(rapport)* auf Geburt und Tod sich *beziehende (ayant* trait) „Zwischenraum" *(„entre-deux")* gehört bereits zum Sein des *Daseins** – „vor" jeder biologischen Bestimmung zum Beispiel

(„*Im Sein* des Daseins liegt schon das ‚Zwischen' mit Bezug auf Geburt und Tod."[26]). Der so dazwischen verhaltene *(entre-tenu)*, dazwischen erstreckte *(entre-tendu)* Bezug im Ab-stand *(dis-tance)*, über den Abstand hinweg und durch den Ab-stand hindurch – zwischen Geburt und Tod – unterhält, hält sich *(s'entretient)* selbst dazwischen *zusammen mit* der Zerstreuung, der Zerspaltung, der Ent-bindung *(Zerstreuung*, Unzusammenhang** usw.[27]). Ohne sie würde dieser Bezug, dieses Zwischen *nicht Statt gefunden haben.* Doch wollte man sie als negative Kräfte interpretieren, so liefe das auf eine Überstürzung der Interpretation, beispielsweise auf ihre Dialektisierung, hinaus.

Die *Erstreckung** ist also eine der bestimmten Möglichkeiten der wesensmäßigen Zerstreuung*. Das „Zwischen" wäre nicht möglich ohne die Zerstreuung, doch bildet es nur die eine seiner strukturalen Dependancen, die Zeitlichkeit und die Geschichtlichkeit nämlich. Andere Dependance, andere – damit zusammenhängende und wesentliche – Möglichkeit der ursprünglichen Zerstreuung: die ursprüngliche Spatialität des *Daseins**, seine *Räumlichkeit**. Die räumliche oder raumgebende Zerstreuung bekundet sich zum Beispiel in der Sprache. Alle Sprachen sind primär durch Raumbedeutungen* bestimmt.[28] Das Phänomen der sogenannten verräumlichenden Metaphern ist keineswegs ein akzidentielles oder eines, das in den Bereich des rhetorischen Begriffs von „Metapher" gehört. Es ist keine äußere Fatalität. Seine wesentliche Irreduzibilität kann nicht außerhalb der existenzialen Analytik des *Daseins**, seiner Zerstreuung, seiner Geschichtlichkeit und seiner Räumlichkeit geklärt werden. Es gilt also daraus die Konsequenzen zu ziehen, und das im besonderen auch für die Sprache der existenzialen Analytik: alle Worte, deren Heidegger sich bedient, verweisen gleichfalls mit Notwendigkeit auf die *Raumbedeutungen** – wobei mit dem Wort *Zerstreu-*

ung (dissémination, dispersion, distraction)* zu beginnen wäre, welches doch den Ursprung der Verräumlichung benennt, gerade da, wo diese sich, als Sprache, ihrem Gesetz unterwirft.

Die „transzendentale Zerstreuung", so wie Heidegger sie noch benennt, gehört somit zum Wesen des *Daseins** in seiner Neutralität. „Metaphysisches" Wesen, heißt es präzisierend in einer Vorlesung, die sich in jener Epoche vor allem als eine metaphysische Ontologie des *Daseins** darstellt, wozu die Analytik selbst nur eine, zweifellos vorläufige, Phase bilden würde. Darauf ist Rücksicht zu nehmen, wenn man dies situieren will, was hier über die sexuelle Differenz im besonderen gesagt wird. Die transzendentale Zerstreuung ist die Möglichkeit aller Zersplitterung* und aller Zerspaltung* in der künstlich/faktischen Existenz. Sie selbst ist in jenem ursprünglichen Charakter des *Daseins** „gegründet", welchen Heidegger alsdann die *Geworfenheit** nennt. Gegenüber diesem Wort sollte man sich Geduld lassen, es einer Vielzahl seiner geläufigen Verwendungen, Auslegungen oder Übersetzungen (*déréliction*, zum Beispiel, *être-jeté*) entziehen. Man sollte es tun im Vorausblick auf dies, was die Interpretation der sexuellen Differenz – die alsbald folgen wird – in ihr von dieser *Geworfenheit** und von der in ihr „gegründeten" transzendentalen Zerstreuung zurückbehält. Keine Zerstreuung *(dissémination)*, die nicht dieses „geworfen" *(jetée)*,[29] dieses *Da** des *Daseins** als „geworfenes" voraussetzt. Geworfenes im „voraus" zu all den Weisen des Geworfenen, welche es anschließend bestimmen werden, das Projekt, das Subjekt, das Objekt, das Verworfene, die Verwerfung, der Hinüberwurf *(trajet)*, der Auswurf; geworfenes, welches das *Dasein** sich nicht zueigen machen könnte in einem Projekt/Entwurf – in dem Sinne, daß es sich selbst *würfe* als ein den Wurf meisterndes Subjekt. Das *Dasein** ist *geworfen**: dies bedeutet, daß es geworfen ist vor jedem Projekt/Entwurf seinerseits, doch dieses Geworfen-Sein ist noch nicht der Alternative *unterworfen* von Aktivität und Passivität, einer Alternative, die noch allzu sehr mit dem Paar von Subjekt-Objekt und folglich auch mit deren Gegensatz, man könnte sagen, mit deren Gegenwurf *(objection)*,[30] verbunden bleibt. Eine Interpretation des Geworfen-Seins als Passivität ist imstande, dieses in die spätere Problematik der (aktiven oder passiven) Subjekti[vi]tät wiedereinzutragen. Was heißt „werfen" all diesen Syntaxen voraus? Und das Geworfen-Sein noch vor dem Bild des Absturzes *(chute)*, ob platonisch oder christlich gedacht? Es gibt Geworfen-Sein des *Daseins**, noch „bevor" dieses *erscheint*, mit anderen Worten: bevor ihm, da, ein Denken des Werfens zukommt, das auf eine Operation, eine Aktivität, eine Initiative hinausläuft. Und dieses Geworfen-Sein des *Daseins** ist nicht ein *in* den Raum, ins bereits-da eines Raumelements, Geworfenes. Die ursprüngliche Räumlichkeit des *Daseins** hängt am Geworfenen.

An diesem Punkt kann das Thema der sexuellen Differenz aufs neue in Erscheinung treten. Das in die Streuung Geworfene des (immer noch in seiner Neutralität verstandenen) *Daseins** bezeigt sich besonders deutlich darin, daß „das *Dasein** *Mitsein** mit *Dasein** ist".[31] Wie stets in diesem Kontext ist Heideggers erste Geste die Berufung auf die Anordnung einer Implikation: die sexuelle Differenz oder die Zugehörigkeit zu einer Gattung müssen vom Mitsein aus, mit anderen Worten: aus dem in die Streuung Geworfenen, erklärt werden, und nicht umgekehrt. Das Mitsein entsteht nicht aufgrund einer künstlich/faktischen Verknüpfung, „es erklärt sich nicht auf dem Grunde eines vermeintlich ursprünglicheren gattungshaften Seins",[32] des Seins eines Wesens, dessen eigener Leib entsprechend der sexuellen Differenz geteilt wäre (der *geschlechtlich gespaltenen leiblichen Wesen**). Umgekehrt haben ein gewisses Streben nach gattungshafter Versammlung (dieses *gattungshafte Zusammenstreben**) und nach *Einigung** (Vereinigung, Wiederannäherung) der Geschlechter die Zerstreuung des *Daseins** als solchen, *und dadurch (par là)* das *Mitsein** zur „metaphysischen Voraussetzung".[33]

Das *„mit*"* des *Mitseins** ist ein existenziales und kein kategoriales, und gleiches gilt für die Ortsadverbien.[34] Was Heidegger hier den metaphysischen Grundcharakter des *Daseins** nennt, vermag es nicht, sich aus einer gattungshaften Organisation oder aus einer Gemeinschaft von Lebenden als solchen abzuleiten zu lassen.

Inwiefern ist diese Frage einer *Anordnung* wichtig für eine „Situierung"/„Erörterung"[35] der sexuellen Differenz? Dank einer vorsichtigen Ab- und Umleitung, die wiederum zu einem Problem wird, für uns, ist Heidegger imstande, das Thema der Sexualität in einer sehr strikten Weise in eine ontologische Fragestellung und eine existenziale Analytik zumindest wiedereinzutragen.

Die sexuelle Differenz bleibt, seitdem man nicht mehr auf die allgemeine *doxa* oder auf eine biologisch-anthropologische Wissenschaft zu setzen gewillt ist, die beide in einer metaphysischen Vor-Auslegung ihre Stütze haben, zu denken aufgegeben. Doch was ist der Preis, der für diese Vorsicht zu zahlen ist? Ist es nicht gerade der einer Entfernung der Sexualität aus der Gesamtheit der ursprünglichen Strukturen? Mit dem Ziel, sie abzuleiten, zu deduzieren? oder mit dem Ziel, sie abzuleiten, sie umzuleiten, jedenfalls, und auf diese Weise ganz traditionelle Philosopheme zu bestärken und mit der Kraft einer neuen Strenge zu wiederholen? Und hat diese Ab- und Umleitung nicht bereits mit einer Neutralisierung begonnen, deren Negativität nur mühsam zu verbergen war? Und gewinnt man nicht, sobald diese Neutralisierung vollzogen ist, überdies Zugang zu einer ontologischen oder „transzendentalen" Zerstreuung, zu der *Zerstreuung**, bei der man gleichfalls einige Mühe hatte, den negativen Wert auszustreichen?

In dieser Form haftet den Fragen zweifellos noch der Eindruck des Verkürzens an. Aber es wäre auch gar nicht möglich, sie innerhalb eines einfachen Austausches mit der Passage/dem Übergang der Marburger Vorlesung, in der die Sexualität beim Namen genannt wird, weiter auszubilden. Ob es sich um die Neutralisierung, die Negativität oder die Zerstreuung *(dispersion, distraction)* handeln mag – Motive, die hier nicht wegzudenken sind; doch will man auf Heideggers Spuren die Frage nach der Sexualität stellen, ist es notwendig, auf *Sein und Zeit zurückzukommen.* Obgleich die Sexualität darin niemals beim Namen genannt wird, werden diese Motive darin in einer komplexeren, differenzierteren Weise behandelt, was nicht heißen soll, daß es eine leichtere sei – im Gegenteil.

Wir müssen uns hier mit einigen vorläufigen Andeutungen begnügen. Die Neutralisierung, die in der Vorlesung einem methodischen Verfahren gleicht, ist nicht ohne Beziehung mit dem, was in *Sein und Zeit* über die „privative Interpretation" gesagt wird.[36] Man könnte sogar von Methode sprechen, seitdem Heidegger sich auf eine Ontologie beruft, welche sich auf dem „Weg" oder über den „Weg" einer privativen Interpretation vollzieht. Dieser Weg gestattet die Freilegung der *Apriori,* und bekanntlich ist, wie eine Fußnote derselben Seite feststellt, welche Husserl diesbezüglich Anerkennung zollt, „der ‚Apriorismus' ... die Methode jeder wissenschaftlichen Philosophie, die sich selbst versteht".[37] In diesem Kontext geht es genau um Psychologie und Biologie. Als Wissenschaften setzen sie eine Ontologie des Daseins voraus. Die Seinsweise, welche das Leben ist, ist, was das Wesen angeht, nur über das Dasein zugänglich. Gerade die Ontologie des Lebens macht eine „privative Interpretation" erforderlich: das „Leben" ist weder pures *„Vorhandensein**" noch *„Da-*

*sein**“ (Heidegger behauptet das hier, ohne in Betracht zu ziehen, daß die Sache mehr verlangt als eine bloße Affirmation: für ihn scheint sie selbstverständlich zu sein); Zugang erlangt man nur, wenn man negativ, mit dem Mittel der Subtraktion, vorgeht. Hernach fragt man sich, was das Sein eines Lebens *als* „Nur-noch-leben“, weder dieses noch jenes, weder *Vorhandensein** noch *Dasein**, ist. Heidegger hat diese Ontologie des Lebens niemals ausgearbeitet; doch kann man sich die Schwierigkeiten vorstellen, die das aufgeworfen hätte, wenn man nur daran denkt, daß das eine solche Ontologie bedingende „weder ... noch ...“ die für die ganze existenziale Analyse wichtigsten strukturierenden Begriffe (Kategorien und Existenzialien) ausschließt oder über deren Rand hinausgreift. Die gesamte problematische Organisation, welche die positiven Wissenschaften regionalen Ontologien und diese Ontologien einer Fundamentalontologie unterstellt, die dann (in dieser Epoche) vorlaufend durch die existenziale Analytik des *Daseins** eröffnet wird, findet sich hier in Frage gestellt. Doch nicht zufällig ist es (einmal mehr, ließe sich behaupten und auch erweisen) die Seinsweise des *Lebenden,* des Beseelten (also auch des Psychischen), die dieses enorme Problem aufwirft und ihm seinen Ort zuweist, oder ihm jedenfalls seinen Namen gibt, unter dem es am besten erkennbar ist. Wir können uns hier nicht weiter darauf einlassen, doch wenn wir schon die allzu häufig unbemerkt bleibende Notwendigkeit unterstreichen, dieses zu tun, so müssen wir zumindest auch daran erinnern, daß das Thema der sexuellen Differenz davon nicht abgespalten werden dürfte.

Bleiben wir fürs erste noch auf diesem „Wege der Privation“. Diesen Ausdruck nimmt Heidegger im § 12 wieder auf, und auch dieses Mal noch immer mit dem Ziel, den apriorischen Zugang zur ontologischen Struktur des Lebenden zu bezeichnen.[38] Nachdem dieser Rückbezug einmal entfaltet ist, weitet Heidegger die Frage dieser negativen Aussagen aus. Warum drängen sich die negativen Bestimmungen in der ontologischen Charakteristik so häufig auf? Das ist keineswegs ein „Zufall". Der Grund liegt darin, daß man die Ursprünglichkeit der Phänomene dem entziehen muß, was diese verborgen, verunstaltet, verschoben oder verdeckt hat, den *Verstellungen** und *Verdeckungen**, all den Vor-Auslegungen, deren negative Auswirkungen folglich ihrerseits durch negative Aussagen, deren wirklicher „Sinn" in Wahrheit „positiv" ist, annuliert werden müssen. Das ist ein Schema, wie wir es gerade eben erst erkannt haben. Die Negativität dieser „Charakteristik" ist also genauso wenig zufällig wie die Notwendigkeit der Verstellungen oder Verdeckungen, welche sie in gewisser Weise *methodisch* korrigieren wird. *Verstellungen** und *Verdeckungen** sind notwendige Bewegungen bereits in der Geschichte des Seins und seiner Interpretation. Man kann sie auch nicht vermeiden, derartige kontingente Fehler, so daß man die Uneigentlichkeit* nicht auf ein Vergehen oder auf eine Sünde zurückführen kann, in die man nicht hätte fallen dürfen.

Und dennoch. Wenn Heidegger sich so unbeschwert des Wortes *„negativ*"* bedient, da, wo es darum geht, Aussagen beziehungsweise eine Charakteristik zu bezeichnen, so tut er es niemals, so ist mein Eindruck (oder, möchte ich vorsichtiger sagen, er tut es weniger häufig und viel weniger unbeschwert), in der Absicht, genau dieses zu bezeichnen, was in den Vor-Auslegungen des Seins diese methodischen Korrekturen negativer oder neutralisierender Form überhaupt erst notwendig macht. Die *Uneigentlichkeit**, die *Verstellungen** und die *Verdeckungen** gehören nicht der Ordnung der Negativität (des Falschen oder des Bösen, des Irrtums oder der Sünde) an. Und es wird klar ersichtlich, warum Heidegger sich wohl hütet, in diesem Fall von Negativität zu sprechen. Er vermeidet so, indem er vorgibt, höher „zurückzusteigen“ als diese, die religiösen, ethischen und gar dialektischen Schemata.

Demnach wäre man zu der Behauptung genötigt, daß ontologisch an das „Neutrale“ im allgemeinen und vor allem an die transzendentale Zerstreuung* des *Daseins** keine negative Bedeutung gebunden sei. Denn, ohne daß wir hier über den negativen Wert oder über den Wert im allgemeinen sprechen können (Heideggers Mißtrauen dem Wert des Wertes gegenüber ist bekannt), müssen wir Rücksicht nehmen auf die differentielle und hierarchisierende Akzentsetzung, welche, in *Sein und Zeit,* regelmäßig das Neutrale und die Zerstreuung markieren wird. In bestimmten Kontexten markiert die Zerstreuung die ganz allgemeine Struktur des *Daseins**. Wir haben das in der Vorlesung gesehen; doch war es bereits in *Sein und Zeit* der Fall, beispielsweise in § 12:[39] „Das *In-der-Welt-sein** des *Daseins** hat sich mit dessen Faktizität je schon in bestimmte Weisen des *In-Seins** *zerstreut** oder gar *zersplittert**.“ Und Heidegger bietet eine Aufzählung der betreffenden Weisen und ihrer irreduziblen Mannigfaltigkeit an. Doch an anderer Stelle ist die *Zerstreuung** (in beiden Bedeutungen von Zerstreuung, wie sie mit *dispersion* und *distraction* übersetzt werden[40]) charakteristisch für die unechte Selbstheit des *Daseins**, die Selbstheit des *Manselbst**, dieses *Man (On),* welches vom echten, *eigentlichen Selbst** „unterschieden“ worden ist. Als *„man“ („on“)* ist das *Dasein** zerstreut* *(dispersé ou distrait)*. Der Zusammenhang dieser Analyse ist bekannt; wir nehmen nur dieses heraus, was die Zerstreuung betrifft,[41] ein Konzept, dem man mitten in der Analyse der Neugier* wiederbegegnet.[42] Die Neugier ist, daran möchten wir erinnern, eine der drei Weisen des Verfallens* des *Daseins** in seiner Alltäglichkeit. Wir werden später auf die vorsichtigen Einschränkungen Heideggers zurückkommen müssen: das Verfallen, die Entfremdung* und sogar der Absturz* wären hier mitnichten das Thema einer „moralisierenden Kritik“, einer „Kulturphilosophie“, einer religiösen Dogmatik des Falls* aus einem „Urzustand“ (von dem wir keine ontische Erfahrung und keine ontologische Interpretation haben) und einer „Verderbnis der menschlichen Natur“.[43] Sehr viel später werden wir uns diese vorsichtigen Einschränkungen und ihren problematischen Charakter ins Gedächtnis zurückrufen müssen, dann, wenn in der „Erörterung“ Trakls Heidegger die Verwesung* *(decomposition, désessentialisation)*, das heißt gleichfalls eine gewisse Verderbnis der Gestalt des Menschen, interpretieren wird. Es wird sich abermals, und dieses Mal expliziter noch, um ein Denken von *„Geschlecht*“* oder des *Geschlechts** handeln. Ich setze es hier in Anführungszeichen, weil es hier genauso um den Namen geht wie um das, was er nennt; und es zeugt genauso von Unvorsicht, sie zu trennen, wie es von Unvorsicht zeugt, sie zu übersetzen. Wir werden es bestätigen, es geht um die Einschreibung von *Geschlecht** und um das *Geschlecht** als Einschreibung, Schlag und Prägung.

Die Zerstreuung tritt also in *zweifacher* Ausprägung (deux fois *marquée)* auf: als allgemeine Struktur des *Daseins** und als Modus der Uneigentlichkeit. Gleiches ließe sich vom Neutralen sagen: in der Vorlesung ist, wenn die Frage der Neutralität des *Daseins** verhandelt wird, kein Anzeichen einer Negierung oder Abwertung zu entdekken; in *Sein und Zeit* jedoch ist das „Neutrale“ imstande, als Kennzeichen für das *„Man“* zu dienen, für dieses nämlich, wozu das „Wer“ alsdann im alltäglichen Selbstsein wird: „das ‚Wer‘ ist das Neutrum*, das *Man.*“[44]

Dieser kurze Rückgang zu *Sein und Zeit* hat es uns – vielleicht – gestattet, Sinn und Notwendigkeit dieser *Anordnung von Implikationen,* auf deren Wahrung Heidegger Wert legt, besser zu verstehen. Unter anderem vermag diese Anordnung auch Prädikate zu berücksichtigen, von denen jeder Diskurs über die Sexualität

Gebrauch macht. Es gibt kein eigentlich sexuelles Prädikat; es ist wenigstens keines darunter, welches, was seinen Sinn betrifft, nicht auf die *allgemeinen* Strukturen des *Daseins** zurückverweist. Und um zu wissen, wovon man spricht, und wie – wenn man die Sexualität mit Namen nennt –, muß man sich eine Grundlage verschaffen, indem man sich genau an das hält, was Gegenstand der Beschreibung in der Analytik des *Daseins** ist. In Umkehrung dazu gestattet es die Desimplikation, sofern davon die Rede sein kann, die Sexualität oder die allgemeine Sexualisierung des Diskurses zu verstehen: die sexuellen Konnotationen können diesen, bis daß sie in ihn einbrechen, nur in dem Maße mit Markierungen versehen, wie sie dem homogen sind, was jeder Diskurs impliziert, beispielsweise der Topologie der irreduziblen „Raumbedeutungen*", aber auch sehr vielen weiteren Zügen, die wir im Übergang/an der Passage erörtert haben. Was wäre das für ein „sexueller" Diskurs beziehungsweise ein Diskurs „über-die-Sexualität", der sich nicht auf die Entfernung, auf Drinnen und Draußen, auf die Zerstreuung und die Nähe, auf das Hier und die Rede/das Da, auf Geburt und Tod, auf das Zwischen-Geburt-und-Tod, auf das Mitsein und den Diskurs beriefe?

Diese Anordnung von Implikationen eröffnet das Denken einer sexuellen Differenz, die noch nicht/nicht noch sexuelle Dualität, Differenz als eine duale, wäre. Wir haben es vermerkt: das von der Vorlesung Neutralisierte ist weniger die Sexualität selbst als die „gattungshafte" Markierung der sexuellen Differenz, die Zugehörigkeit zu einem der beiden Geschlechter. Kann man nicht von da an, durch Zurückführung auf die Zerstreuung* und die Mannigfaltigung*, mit dem Denken einer sexuellen Differenz beginnen (präzisieren wir es: ohne Negativität), welche nicht durch die Zwei besiegelt wäre? Welche es noch nicht oder nicht mehr wäre? Doch das „noch nicht" oder das „bereits nicht mehr" würden noch, bereits, eine gewisse Anmessung an die Struktur von Grund und Vernunft[45] bedeuten.

Der Entzug der Dyade führt in die Richtung einer anderen sexuellen Differenz. Er kann zudem auf weitere Fragen vorbereiten. Zum Beispiel auf diese hier: wie ist es dazu gekommen, daß die Differenz sich in der Zahl Zwei niedergeschlagen hat? Oder weiter, sofern man daran festhielte, die Differenz in der Zweieropposition niederzulegen, wie kommt es, daß die Mannigfaltigung Halt macht in der Differenz/als Differenz? Und zwar in der sexuellen Differenz/als sexuelle Differenz?

In der Vorlesung benennt *Geschlecht** – aus Gründen, die wir bereits genannt haben – stets die Sexualität, so wie sie durch die *Opposition* oder durch das Zweifache typisiert wird. Später (und früher) ging dergleichen nicht, und die Opposition nimmt den Namen einer Dekomposition/einer Verwesung an.[46]

Heideggers Hand
(Geschlecht II)[1]

I

> ...das Denken ist das eigentliche Handeln, wenn *Handeln** heißt, dem Wesen des Seins an die *Hand** gehen. Dies sagt: dem Wesen des Seins inmitten des Seienden jene Stätte bereiten (bauen), in die es sich und sein Wesen zur *Sprache* bringt. Die *Sprache* gibt allem Überlegenwollen erst Weg und Steg.[2]

> „Etwas sehr Schönes, überaus Kostbares auf diesem Bild ist die *Hand.* Eine Hand, frei von Deformationen, mit eigentümlicher Struktur; sie sieht aus, als spräche sie, gleichsam eine *Feuerzunge (une langue du feu).* Grün, wie der düstere Abschnitt einer Flamme, alle Unruhen des Lebens in sich bergend. Eine Hand, für Liebkosungen, und um anmutige Bewegungen zu machen. Die wie etwas Klares im roten Schatten der Leinwand lebt.[3]

Ich bin gezwungen, mit einigen Vorsichtsmaßnahmen zu beginnen. Sie laufen alle darauf hinaus, Sie mehr als einmal um Entschuldigung und um Nachsicht zu bitten für das, was insbesondere an die Form und den Status dieser „Vorlesung"/dieser „Lektüre", an alle die Voraussetzungen, denen Rechnung zu tragen ich Sie bitten möchte, rührt. Ich setze in der Tat die Lektüre eines kurzen und bescheidenen Essays, veröffentlicht unter dem Titel *Geschlecht, différence sexuelle, différence ontologique,*[4] voraus. Dieser vor mehr als einem Jahr veröffentlichte und übersetzte Essay zog eine Arbeit nach sich, die ich erst in diesem Jahr im Verlauf eines Seminars wiederaufgenommen habe, das ich in Paris unter dem Titel *Nationalité et nationalisme philosophiques* gebe. Der fehlenden Zeit wegen kann ich hier weder den einführenden Artikel mit dem Titel *Geschlecht** –

der mit dem Motiv der sexuellen Differenz befaßt war in einer Vorlesung, die ungefähr zeitgleich mit *Sein und Zeit* stattfand – noch all die Entwicklungen nachbilden, die – in meinem Seminar über *Nationalité et nationalisme philosophiques* – die Umgebung der Überlegungen ausmachen, die ich Ihnen heute vorstellen möchte. Ich werde mir dennoch alle Mühe geben, die Darstellung dieser wenigen, noch vorläufigen Überlegungen so verständlich und so unabhängig – von diesen unsichtbaren Kontexten – wie möglich zu gestalten. Eine weitere Vorsichtsmaßnahme, ein weiterer Appell an Ihre Nachsicht: aus Mangel an Zeit werde ich Ihnen nur einen Teil oder, besser gesagt, mehrere, mitunter etwas diskontinuierliche Fragmente präsentieren aus dieser Arbeit, die ich dieses Jahr verfolge im gemächlichen Rhythmus eines Seminars, eingebunden in eine schwierige Lektüre, die ich mir so sorgsam und vorsichtig wünsche wie eben möglich, eine Lektüre bestimmter Texte von Heidegger, besonders von *Was heißt Denken?* und vor allem des Vortrags über Trakl in *Unterwegs zur Sprache*.

Wir werden also über Heidegger sprechen.

Wir werden auch über die Monstrosität sprechen.

Wir werden über das Wort „*Geschlecht**" sprechen. Ich übersetze dieses Wort fürs erste nicht. Zweifellos werde ich es zu keinem Zeitpunkt übersetzen. Doch den Kontexten entsprechend, die zu seiner Bestimmung herantreten werden, kann dieses Wort eine Übersetzung durch *sexe*, *race* (Rasse), *espèce* (Art), *genre* (Gattung), *souche* (Schlag, Stamm), *famille* (Familie), *génération* oder *généalogie*, *communauté* (Gemeinschaft) mit sich geschehen lassen. In dem Seminar über *Nationalité et nationalisme philosophiques* sind wir, bevor wir uns an das Studium bestimmter Texte von Marx, Quinet, Michelet, Tocqueville, Wittgenstein, Adorno und Hannah Arendt begaben, dem Wort *Geschlecht** im allerersten Aufriß einer Lektüre Fichtes begegnet:

„...was an Geistigkeit und Freiheit dieser Geistigkeit glaubt, und die ewige Fortbildung dieser Geistigkeit durch Freiheit will, das, wo es auch geboren sey und in welcher Sprache es rede, ist unsers Geschlechts, *es gehört uns an und es wird sich zu uns thun.“*[5] Die französische Übersetzung unterläßt es, das Wort *Geschlecht** zu übersetzen, zweifellos, weil sie zu einem Zeitpunkt – während des Krieges oder kurze Zeit danach, ich glaube, durch S. Jankélévitch – und unter Bedingungen erstellt worden ist, welche das Wort *„race“* zu einem besonders gefährlichen und im übrigen auch nicht trefflichen im Hinblick auf die Übersetzung Fichtes gemacht haben. Doch was meint Fichte, wenn er in dieser Weise entwickelt, was er alsdann seinen Grundsatz* nennt, den eines Kreises* oder eines Bundes*, einer Verpflichtung (worüber wir in den vorangegangenen Sitzungen des Seminars viel gesprochen haben), welche genau die Zugehörigkeit zu „unserm *Geschlecht**“ konstituiert? *„Tout ce qui croit à la spiritualité et à la liberté de cet esprit, tout ce qui veut l'éternelle et progressive formation de cette spiritualité à travers la liberté* [*die ewige Fortbildung** : und wenn Fichte auch „nationalistisch“ ist – in einem allzu rätselhaften Sinne, als daß wir hier übereilt von einem Nationalismus sprechen sollten –, so ist er es als *Progressiver,* als Republikaner und als Kosmopolit; eines der Themen dieses Seminars, woran ich in diesem Moment arbeite, betrifft genau die paradoxale, aber regelmäßige Verknüpfung des Nationalismus mit einem Kosmopolitismus und einem Humanismus] *est de notre* Geschlecht*, *nous appartient et a affaire avec nous, où qu'il soit né et quelque langue qu'il parle.“* Dieses *Geschlecht** ist also nicht durch die Geburt, den Boden/das Land der Geburt *(le sol natal)* oder die Rasse bestimmt; es hat nichts Natürliches, aber auch nichts Sprachliches – wenigstens im geläufigen Sinne dieses Begriffs, denn bei Fichte konnten wir einer Art Inanspruchnahme des Idioms, einer Art Idiom des deutschen Idioms gewahr werden. In diesem

Idiom des Idioms bleiben bestimmte, von Geburt aus deutsche Bürger Fremde/Ausländer; bestimmte Nicht-Deutsche können Zugang gewinnen, sobald sie nur, sich zum „Kreis" oder „Bund" der „Geistigkeit und Freiheit dieser Geistigkeit" und seiner „ewigen Fortbildung" verpflichtend, „unserm *Geschlecht**" angehören. In diesem Kontext ist die einzige analytische und unabweisbare Bestimmung von *Geschlecht** das „wir" *(„nous")*, die Zugehörigkeit zu dem „wir", das wir in diesem Moment sprechen, im Moment, wo Fichte sich an diese vorausgesetzte, aber desgleichen zu bildende Gemeinschaft adressiert – Gemeinschaft, die *stricto sensu* weder eine politische noch eine rassische oder eine sprachliche ist, sondern eine, die seine Ansprache, seine Adresse oder seine Apostrophe, seine *Rede an...** aufnehmen und mit ihm gemeinsam denken, die „wir" sagen kann – in welcher Sprache und welches auch immer der Ort der Geburt sei. Das *Geschlecht** ist ein Ensemble, man könnte sagen, eine Versammlung*, eine in einem weder natürlichen noch geistigen Sinne organische Gemeinschaft, welche an den unendlichen Fortschritt/„die ewige Fortbildung" des Geistes durch die Freiheit glaubt. Ein ewiges/unendliches „wir", das sich sich selbst verkündet *(qui s'annonce à lui-même)* aus der Ewigkeit/Unendlichkeit eines *telos* der Freiheit und der Geistigkeit heraus, und sich verspricht, sich verpflichtet oder sich verbindet dem Kreis*, dem Bund* dieses ewigen/unendlichen Willens gemäß. Wie unter diesen Bedingungen *„Geschlecht***"* übersetzen? Fichte bedient sich eines Wortes, welches *bereits (déjà)* in seiner Sprache einen großen Reichtum an semantischen Bestimmungen aufweist, und er spricht *deutsch*. Ihm fällt es leicht zu sagen: wer auch immer, in welcher Sprache er auch rede, *„ist unsers Geschlechts***";* er sagt es in deutsch und dieses *Geschlecht** ist grundsätzlich eine *Deutschheit*. Selbst wenn es seinen exakten Inhalt aus dem durch die Adresse erst errichteten „wir" erhält, führt das Wort *„Geschlecht*“* doch auch Konnotationen mit sich, die für die minimale Verstehbarkeit der Rede unverzichtbar sind, und diese Konnotationen gehören in irreduzibler Weise dem Deutschen an, einem Deutschen, grundsätzlicher als alle Erscheinungen der empirischen Deutschheit *(germanité)*, einem Deutschen vielmehr der Abstammung nach. All diese konnotierten Bedeutungen sind dem Gebrauch des Wortes *„Geschlecht*“* ko-präsent; sie sind in diesem Gebrauch virtuell mit vorgeladen, doch keine genügt diesem Gebrauch voll und ganz. Wie soll man übersetzen? Man kann zurückschrecken vor der Gefahr und das Wort auslassen, wie es der französische Übersetzer getan hat. Man kann auch annehmen, dieses Wort bleibe durch den Begriff, mit dem es bezeichnet wird – ein „wir“ als auf die Ewigkeit seiner Fortbildung verpflichtete geistige Freiheit – in einem solchen Maße offen und unbestimmt, daß mit seiner Auslassung nichts Großartiges verloren geht. Das „wir“ hebt letztlich auf die *humanitas* des Menschen, auf die teleologische Wesenheit einer Humanität ab, welche sich vorzüglich in der *Deutschheit** verkündet. Man sagt häufig *„Menschengeschlecht“** für *„genre humain“*, *„espèce humaine“*, *„race humaine“*. In dem Text von Heidegger, für den wir uns gleich interessieren werden, sprechen die französischen Übersetzer mitunter von *genre humain* für *Geschlecht** und mitunter ganz einfach von *espèce*.

Denn es geht hier um nichts weniger als – wenn man so sagen darf – um das Problem des Menschen, der Humanität des Menschen und des Humanismus. Doch an einem Ort, wo die Sprache sich nicht länger ausstreichen läßt. Bereits für Fichte ist es nicht mehr ein und dasselbe, von „Humanität“ des Menschen und von *Menschlichkeit** zu sprechen. Wenn er sagt: *„ist unsers Geschlechts“**, denkt er an die *Menschlichkeit** und nicht an die vom Lateinischen abstammende *Humanität**. Die

Vierte der *Reden an...* zeigt, von weitem besehen, einen gewissen Gleichklang mit den noch zukünftigen Texten Heideggers über die Latinität. In ihr wird zwischen der toten Sprache, „abgeschnitten von der lebendigen Wurzel", und der lebendigen Sprache, „durch den Wind des Lebens bewegt", der geistigen Sprache, unterschieden. Wenn eine Sprache von ihren ersten Phonemen an aus dem gemeinschaftlichen und ununterbrochenen Leben eines Volkes hervorgeht und auch weiterhin alle ihre Anschauungen daraus schöpft, so ändert das Eindringen eines fremden Volkes daran nichts. Die Eindringlinge können sich nicht bis zu dieser ursprünglichen Sprache empor arbeiten, es sei denn, sie eignen sich die Anschauungen des *Stammvolkes** an, für das diese Anschauungen untrennbar sind von der Sprache: „*...und so bilden nicht sie die Sprache, sondern die Sprache bildet sie.**"[6] Umgekehrt, wenn ein Volk eine andere, „für übersinnliche Bezeichnung schon sehr gebildete" Sprache annimmt, ohne sich gleichwohl vollends dem Einfluß dieser fremden Sprache auszuliefern, so wird die sinnliche Sprache durch dieses Ereignis nicht verändert. In allen Völkern, bemerkt Fichte, lernen die Kinder ohnehin diesen, den sinnlichen Dingen zugewandten Teil der Sprache, „gleich als ob die Zeichen *willkürlich** wären". Sie müssen „die ganze frühere Sprachentwicklung der Nation hierin nachholen; jedes *Zeichen** aber *in diesem sinnlichen Umkreise** kann durch die unmittelbare Ansicht oder Berührung des *Bezeichneten** vollkommen klar gemacht werden". Ich beharre hier auf dem Zeichen*, denn wir werden in einem Augenblick auf das Zeichen als Monstrosität zurückkommen. In dieser Passage bedient sich Fichte des Wortes *Geschlecht** im engen Sinne von Generation: „Höchstens würde daraus folgen, dass *das erste Geschlecht** eines solchen, seine Sprache ändernden Volkes als *Männer* [*l'âge mûr* (das reife Alter) heißt es in der französischen Übersetzung, statt *l'âge d'homme: Männer**] wieder in die Kinderjahre zurückzugehen genöthigt gewesen..."[7]

Genau hier macht Fichte die Unterscheidung zwischen *Humanität** und *Menschlichkeit** geltend. Für einen Deutschen klingen diese Worte lateinischer Herkunft *(Humanität*, Popularität*, Liberalität*)*, als ob sie des Sinnes entleert wären, auch wenn sie einen vornehmen Eindruck machen und Neugier wecken ihrer Etymologie wegen. Im übrigen verhält es sich sogar bei den lateinischen oder neulateinischen Völkern nicht anders; auch sie kennen die Etymologie nicht und glauben, daß diese Wörter zu ihrer Muttersprache* gehören. Doch sagen Sie das Wort *Menschlichkeit** zu einem Deutschen, so wird er Sie *ohne weitere historische Erklärung** verstehen. Im übrigen ist es überflüssig auszusagen, daß ein Mensch ein Mensch ist, und von der *Menschlichkeit** eines Menschen zu sprechen, von dem man genau weiß, daß er nicht ein Affe oder ein wildes Tier ist. Ein Römer hätte nicht so geantwortet, glaubt Fichte, weil, während für den Deutschen die *Menschheit** oder die *Menschlichkeit** stets *„ein sinnlicher Begriff*"* bleibt, für den Römer die *humanitas* zum Sinnbild* eines übersinnlichen* Begriffs geworden war. Seit Anbeginn haben die Deutschen – sie auch – die konkreten Anschauungen in einem geistigen Begriff von Menschheit – und stets in Opposition zur Animalität – vereinigt; und man täte ihnen gewiß unrecht, sähe man in der anschaulichen Beziehung, die sie gegenüber der *Menschheit** bewahren, ein Zeichen von Minderwertigkeit im Vergleich mit den Römern. Dennoch, die künstliche Einführung von Worten fremden, insbesondere römischen Ursprungs in die deutsche Sprache bringt die Gefahr mit sich, *„ihre sittliche Denkart ... herunter(zu)stimmen*"*. Indes ist, wenn es um Sprache, Bild und Sinnbild* geht, die unzerstörbare Natur einer Nationaleinbildungskraft* gegeben.[8]

Dieser schematische Rückbezug erschien mir aus

zwei Gründen notwendig. Zum einen, um die Schwierigkeit hervorzuheben, dieses sensible, kritische und neuralgische Wort *Geschlecht** zu übersetzen, zum anderen, um dessen irreduzible Bindung an die Frage nach der Humanität (versus Animalität) anzuzeigen, und zwar einer Humanität, deren Name, als Bindung des Namens an die „Sache", wenn man das so sagen kann, genauso problematisch bleibt wie der Name der Sprache, in die er eingeschrieben wird. Was sagt man, wenn man *Menschheit**, *Humanitas*, *Humanität**, *mankind* usw. sagt, oder wenn man *Geschlecht** oder *Menschengeschlecht** sagt? Sagt man dasselbe? Ich möchte im Weitergehen an die Kritik erinnern, die Marx in der *Deutschen Ideologie* an den Sozialisten Grün adressierte, dessen Nationalismus sich – geht man nach dem ironischen Ausdruck von Marx – einer „Nationalität ‚des Menschen'" befleißigte, welche von den Deutschen (Sozialisten) besser vorgestellt wird als von den anderen Sozialisten (Franzosen, Amerikaner oder Belgier).[9]

In dem im Dezember 1945 an den Vorsitzenden des politischen Bereinigungsausschusses der Albert-Ludwig-Universität adressierten Brief gibt Heidegger eine Erklärung ab zu seiner Haltung während der Nazizeit. Er hätte geglaubt, sagt er, zwischen dem Nationalen und dem Nationalismus, das heißt zwischen dem Nationalen und einer biologistischen und rassistischen Ideologie, unterscheiden zu können:

> Ich glaubte, Hitler werde, nachdem er 1933 in der Verantwortung für das ganze Volk stand, über die Partei und ihre Doktrin hinauswachsen und alles würde sich auf dem Boden einer Erneuerung und Sammlung zu einer abendländischen Verantwortung zusammenfinden. Dieser Glaube war ein Irrtum, den ich aus den Vorgängen des 30. Juni 1934 erkannte. Er hatte mich aber 1933/34 in die Zwischenstellung gebracht, dass ich das Soziale und Nationale (nicht nationalsozialistische) bejaht und die geistige und metaphysische Grundlegung durch den Biologismus der Parteidoktrin verneinte, weil das Soziale und Nationale, wie ich es sah, nicht wesensmässig an die biologisch-rassische Weltanschauungslehre geknüpft war.[10]

Die Verurteilung von Biologismus und Rassismus sowie auch des gesamten ideologischen Diskurses von Rosenberg inspiriert eine große Zahl von Texten Heideggers, ob es sich um die *Rektoratsrede* oder die *Vorlesungen* über Hölderlin und Nietzsche handelt, oder ob es sich des weiteren um die Frage nach der Technik handelt, die perspektivisch stets gegen die Verwendung des Wissens zu technizistischen und zu Gebrauchszwecken, gegen die berufsständische Erfassung und die Vernutzung des universitären Wissens durch die Nazis, ausgerichtet wird. Ich werde heute das Dossier über die „Politik" Heideggers nicht wiederaufschlagen. Ich habe das in anderen Seminaren getan, und wir verfügen heute über eine recht große Anzahl von Texten, um die klassischen und bislang etwas zu akademisch abgehandelten Dimensionen dieses Problems zu entziffern. Doch alles, was ich jetzt versuchen werde, wird eine indirekte, vielleicht weniger sichtbare Beziehung zu *demselben* Drama bewahren. Heute werde ich also damit beginnen, über diese Monstrosität zu sprechen, die ich eben erst angekündigt habe. Es wird ein weiterer Umweg über die Frage nach dem Menschen *(Mensch* oder *homo)* und nach dem „wir" sein, das seinen rätselhaften Inhalt an ein *Geschlecht** vergibt.

Warum „Monstrum" *(„monstre")*? Nicht, um die Sache pathetisch zu gestalten, und auch nicht, weil wir stets einer gewissen monströsen *Unheimlichkeit** nahe sind, wenn wir die nationalistische Sache und die Sache namens *Geschlecht** umlagern. Was ist ein Monstrum *(un monstre)*? Sie kennen die polysemische Skala dieses Wortes, die Weisen seines möglichen Gebrauchs, zum Beispiel im Hinblick auf Normen und Formen, auf Art und Gattung: das also, was das *Geschlecht** angeht.[11] Ich möchte hier damit beginnen, indem ich einer anderen Richtung ein Vorrecht einräume. Sie geht in die Richtung/auf den Sinn eines weniger bekannten Sinns: denn im Französischen hat *la monstre* (ein Wechsel der

Gattung, des Genus oder *Geschlechts**) die dichterisch-musikalische Bedeutung eines Diagramms, das in einem Musikstück die Zahl der Verse und die Zahl der Silben, die dem Dichter zugewiesen werden, *(de)monstriert (montre)*. *(De)Monstrieren,* das ist zeigen/beweisen; und ein Monstrum ist eine Zeige/eine Schau/eine Uhr *(*Monstrer, *c'est montrer, et une* monstre *est une montre)*. Ich bin bereits in das unübersetzbare Idiom meiner Sprache hineingestellt, denn genau über Übersetzung möchte ich zu Ihnen sprechen. La *monstre,* die Tabulatur, schreibt also die Versabschnitte vor für eine Melodie. Das Monstrum oder die *monstre,* das ist das, was zeigt, um zu verkünden oder zu warnen. Ehedem wurde *la montre* im Französischen *la monstre* geschrieben.

Warum dieses melo-poetische Beispiel? Weil das Monstrum/das Zeichen, über das ich zu Ihnen sprechen werde, aus einem gut bekannten Gedicht von Hölderlin stammt, *Mnemosyne,* welche(s) von Heidegger des öfteren bedacht, befragt und interpretiert wird. In der zweiten seiner/ihrer drei Versionen, der von Heidegger in *Was heißt Denken?* zitierten, ist die berühmte Strophe zu lesen:

Ein Zeichen sind wir, deutungslos
Schmerzlos sind wir und haben fast
Die Sprache in der Fremde verloren*

Unter den drei französischen Übersetzungen dieses Gedichtes gibt es die der Übersetzer von *Was heißt Denken?,* Aloys Becker und Gérard Granel. Hölderlin in Heidegger übersetzend, gebraucht sie das Wort *monstre* (für *Zeichen**), in einem Stil, der mir zuerst etwas manieriert und gallizisierend erschienen war, der mir aber, nachdem ich darüber nachgedacht habe, jedenfalls bedenkenswert *(donner à penser)* erscheint.

Nous sommes un monstre privé de sens
Nous sommes hors douleur
Et nous avons perdu
Presque la langue à l'étranger

Die Anspielung auf die in der Fremde verlorene Sprache beiseite lassend, welche mich zu schnell zum Seminar über die Nationalität zurückführen würde, lege ich zunächst den Akzent auf das „wir ... Zeichen" *(„nous... monstre")*. Wir sind ein Zeichen/Monstrum, und im einzelnen *(singulier)* ein Zeichen, das zeigt und warnt, doch um so einzigartiger *(plus singulier)*, als zeigend, bedeutend, bezeichnend es deutungslos* *(privé de sens)* ist. *Es sagt sich/es gibt sich aus* (als wäre es) deutungslos (il se dit *privé de sens*), Zeichen/Monstrum einfach und zweifach, dieses „wir": wir sind Zeichen *(signe)* – zeigend, warnend, ein Zeichen gebend hin auf, doch in Wahrheit hin auf nichts, ein abseitiges Zeichen, in Abweichung begriffen im Vergleich mit dem Zeichen *(signe)*, Zeige *(montre)*, die von der Zeige und vom Zeigen *(monstration)* abweicht/sich entfernt, ein Zeichen/Monstrum *(monstre)*, das nichts zeigt. Eine solche Abweichung des Zeichens im Hinblick seiner selbst und seiner sogenannten Normalfunktion, ist das nicht bereits eine Monstrosität der (De)Monstrierbarkeit *(une monstruosité de la monstrosité)*, eine Monstrosität der Monstration *(une monstruosité de la monstration)?* Und das, das sind wir, wir, insofern wir die Sprache in der Fremde – vielleicht in einer Übersetzung – verloren haben. Doch dieses „wir", das Zeichen/Monstrum, ist dies der Mensch?

Die Übersetzung von *Zeichen** durch *monstre* hat in dreifacher Hinsicht ihr Gutes. Sie ruft ein Motiv ins Gedächtnis zurück, welches von *Sein und Zeit* her am Werk ist: die Verbindung zwischen *Zeichen** und *zeigen** oder *Aufzeigung**, zwischen dem Zeichen und der (De)Monstration. Der Paragraph 17 *(Verweisung und Zeichen)* analysierte das *Zeigen eines Zeichens** und strich im Vorübergehen auch an der Frage des Fetisch vorüber. In *Unterwegs zur Sprache* werden *Zeichen** und *Zeigen** mit *Sagen** zu einer Kette verbunden, genauer: mit dem althochdeutschen Idiom *Sagan:* „,Sagan' heißt: zeigen, erscheinen-, sehen- und hörenlassen*."[12] Später heißt es: „...und gebrauchen zur Benennung der Sage*, insofern in ihr das Sprachwesen beruht, ein altes, gutbezeugtes, aber ausgestorbenes Wort: *die Zeige*"*[13] (*la monstre,* in der französischen Übersetzung; das Wort ist von Heidegger hervorgehoben, der im übrigen gerade zuvor Trakl zitiert hat, in dessen Nähe wir gleich wieder herauskommen werden). Die zweite Hinsicht, in der die französische Übersetzung durch *„monstre"* ihr Gutes hat, hat ihren Wert nur im lateinischen Idiom, weil sie auf der Abweichung gegenüber der Normalität des Zeichens beharrt, eines Zeichens, das auf einmal nicht das ist, was es sein sollte, nichts zeigt und nichts bedeutet, das *nicht*/den *Schritt des Sinns (le pas de sens)*[14] zeigt und den Verlust der Sprache verkündet. Die dritte Hinsicht, in der diese Übersetzung ihr Gutes zeigt: sie stellt die Frage nach dem Menschen. Ich lasse hier eine lange Ausführung, die mir notwendig erschien, über das, was im Grunde einen gewissen Humanismus, einen gewissen Nationalismus und einen gewissen europäozentrischen Universalismus verbindet, beiseite und gehe rasch weiter zu Heideggers Interpretation von *Mnemosyne.* Das „wir" aus *„Ein Zeichen sind wir*",* ist es wirklich ein „wir Menschen"? Zahlreiche Hinweise dürften wohl eher zu bedenken geben, daß die Antwort des Gedichtes ziemlich zweideutig bleibt. Wenn dieses „wir" tatsächlich ein „wir Menschen" wäre, so würde diese Humanität allerdings auf eine recht monströse Weise bestimmt, in Abweichung von der Norm und besonders von der humanistischen Norm. Doch die Heideggersche Interpretation, welche diese Zitierung Hölderlins vorbereitet und gebietet, sagt etwas über den Menschen, und somit auch über *Geschlecht*,* über das *Geschlecht** und über das Wort *„Geschlecht*",* das auf uns noch wartet im Text über Trakl, in *Unterwegs zur Sprache.*

In einem Wort, um Zeit zu gewinnen, werde ich

sagen, daß es sich um die Hand handelt, um die Hand des Menschen, um die Beziehung der Hand zum Sprechen und zum Denken. Und auch wenn der Kontext weit davon entfernt ist, ein klassischer zu sein, so handelt es sich doch um eine sehr klassisch gesetzte, sehr dogmatisch und metaphysisch gesetzte Opposition (auch wenn der Kontext weit davon entfernt ist, ein dogmatischer und metaphysischer zu sein) zwischen der Menschenhand und der Affenhand. Es handelt sich desgleichen um einen Diskurs, der alles sagt über die Hand, insofern sie gibt und sich gibt, außer, zumindest dem Anschein nach, über die Hand oder die Gabe als Ort des sexuellen Begehrens, über – wie man zu sagen pflegt – das *Geschlecht** in der sexuellen Differenz.

Die Hand: das Eigene des Menschen als Zeichen*/Monstrum. „Die Hand reicht und empfängt und zwar nicht allein Dinge, sondern sie reicht sich und empfängt sich in der anderen. Die Hand hält. Die Hand trägt. *Die Hand zeichnet, vermutlich weil der Mensch ein Zeichen ist.**"[15] Die *Phänomenologie des Geistes,* sagt sie anderes über die Hand?[16]

Diese Vorlesung von 1951-52 ist später als der *Brief über den Humanismus,* der die Frage nach dem Sein dem metaphysischen oder onto-theologischen Horizont des klassischen Humanismus entzog: das *Dasein** ist nicht der *homo* dieses Humanismus. Wir werden also nicht dahergehen und Heidegger verdächtigen, einfach in eben diesen Humanismus zurückzufallen. Zum anderen stimmen Datum und Thematik dieser Passage mit dem Denken der Gabe, des Gebens und des *es gibt** überein, welches über die vorangegangene Bildung der Frage nach dem Sinn von Sein hinausgreift, ohne sie zu verkehren.

Um genauer zu situieren, was hier als das Denken der Hand, aber auch als die Hand des Denkens, eines angeblich nicht-metaphysischen Denkens des menschlichen *Geschlechts** zu benennen möglich wäre, möchten wir vermerken, daß dieser Gedanke in einem bestimmten Moment des Seminars entwickelt wird („Stundenübergänge. Von I zu II", Seite 48 und folgende), der die Frage nach der Lehre des Denkens, insbesondere an der Universität als dem Ort der Wissenschaften und der Techniken, wiederholt. Genau in dieser Passage/diesem Übergang zerschneide ich/schneide ich aus/zeichne ich *(je découpe)*, wenn man es so sagen kann, die Form und den Übergang/die Passage der Hand: Heideggers Hand.[17] Die Nummer der Zeitschrift *l'Herne*, in der ich *Geschlecht* I veröffentlicht habe, trug auf ihrem Umschlag eine Photographie Heideggers; und diese zeigte ihn – eine durchdachte[18] und signifikante Wahl –, wie er mit beiden Händen seinen Füllfederhalter über ein Manuskript hält. Auch wenn er sich ihrer niemals bedient hat, so war doch Nietzsche der erste Denker des Abendlandes, der eine Schreibmaschine besaß, deren Photographie wir kennen. Heidegger selbst konnte nur mit der Feder schreiben – mit der Hand eines Handwerkers und nicht der eines Mechanikers –, genau wie es der Text vorschreibt, für den wir uns gerade interessieren. Seit damals habe ich alle veröffentlichten Photographien Heideggers – im besonderen in einem in Freiburg, als ich dort 1979 eine Vorlesung über Heidegger gehalten habe, erworbenen Bildband – studiert. Das Spiel und das Theater/das Schauspiel der Hände verdienten es, daß ihnen ein ganzes Seminar gewidmet würde. Sofern ich dem nicht doch entsagen sollte, würde ich auf die gewollt handwerkliche Inszenierung des Spiels der Hand, des Zeigens *(monstration)* und des Aufzeigens/Beweisens *(demonstration)* eingehen, die sich darin zur Schau stellt, ob es sich um die Handhaltung *(maintenance)* des Füllfederhalters, um die Handhabung *(manœuvre)* des Spazierstocks, die mehr zeigt als hilfreich ist, oder des Wassereimers beim Brunnen handelt. Die Demonstration der Hände ist ebenfalls ergreifend anschaulich in Begleitung der Rede. Auf dem Umschlagbild des Katalogs greift nur eines über den Rahmen – den des Fensters, aber auch den des Photos – hinaus: Heideggers Hand.

Die Hand, das wäre die (De)Monstrierbarkeit *(monstrosité)*, das Eigene des Menschen als Sein des Zeigens *(monstration)*. Sie würde ihn von jedem anderen *Geschlecht** unterscheiden, und zuvorderst vom Affen.

Man kann nicht über die Hand sprechen, ohne über die Technik zu sprechen.

Heidegger hat eben zuvor daran erinnert, daß das Problem der universitären Lehre mit der Tatsache zusammenhängt, daß „die ... Wissenschaften in den Bereich des Wesens der Technik gehören" – „in den Bereich des *Wesens* der Technik, nicht einfach in die Technik". „Noch liegt ein Nebel" um dieses „Wesen"; für diesen Nebel ist niemand verantwortlich, weder die Wissenschaften, noch die Wissenschaftler, und auch nicht der Mensch im allgemeinen. Was schlichtweg am meisten zu denken gibt, *„das Bedenklichste*"* ist, „daß *wir* noch nicht denken". Wer, wir? „Wir alle noch nicht", legt Heidegger fest, *„der Sprecher mit inbegriffen, er sogar zuerst*"*.[19] Der erste zu sein unter denen, die noch nicht denken, heißt das, daß man das „noch nicht" dessen, was uns am meisten zu denken gibt – des Bedenklichsten, eben, daß wir noch nicht denken, weniger denkt oder daß man es mehr denkt? Der erste, hier, derjenige, der spricht und *sich zeigt*, indem er in dieser Weise spricht, indem er sich in der dritten Person: *der Sprecher**, bezeichnet, ist er der erste, weil er bereits denkt, daß wir noch nicht denken/weil er bereits dieses denkt, was wir noch nicht denken,[20] und es bereits sagt? Oder ist er der erste im noch-nicht-Denken, somit also der letzte, der bereits denkt, daß wir noch nicht denken/der bereits (dieses) denkt, was wir noch nicht denken, was ihn dennoch nicht hindern würde, zu sprechen, damit er der erste ist, der es sagt?

Diese Fragen verdienten es, daß man ihnen längere Ausführungen widmete über die Selbst-(Ver)Setzung/Selbst-Erörterung *(auto-situation)*,[21] das Sich-Zeigen eines Sprechens, welches vorgibt zu lehren, indem es über das Lehren spricht, und dieses zu denken, was es heißt zu lernen und zuerst zu lernen zu denken. *„Darum“*, fährt Heidegger fort, *„versuchen wir hier, das Denken zu lernen*.“*[22] Doch was heißt Lernen *(apprendre)?* Die Antwort ist unübersetzbar in ihrer Literalität, sie geht über eine sehr subtile handwerkliche Arbeit, eine Arbeit mit der Hand und mit der Feder zwischen den Worten *entsprechen*, Entsprechung*, zusprechen*, Zuspruch**. Anstatt zu übersetzen paraphrasieren wir: Lernen *(apprendre)* heißt, dieses, was wir tun, auf eine Entsprechung* in uns mit dem Wesenhaften* zurückbringen.[23] Als Illustration dieser Übereinstimmung mit dem Wesenhaften dient – wie gehabt – das traditionelle Beispiel der philosophischen Didaktik, das Beispiel des Schreiners *(menuisier)*, des Schreinerlehrlings *(apprenti-menuisier)*. Heidegger zieht bei seiner Auswahl das Wort *Schreiner** gegenüber dem Wort *Tischler** vor, denn er bringt sich in Entsprechung zu dem Zuspruch[24] eines Schreinerlehrlings*, der an einem Schrein* arbeitet. Nun, später wird er sagen: „Vielleicht ist das Denken auch nur dergleichen wie das Bauen an einem Schrein.“[25] Der Schreinerlehrling *(apprenti-coffrier)* lernt nicht nur die Verwendung der Werkzeuge, das Vertrautwerden mit dem Gebrauch, der Nützlichkeit, der (Werk)Zeughaftigkeit der zu verrichtenden Dinge. Wenn es „ein echter Schreiner“ ist, so zieht es ihn zu den verschiedenen Arten des Holzes selbst, er bezieht sich darauf, „bringt sich ... zu den darin schlafenden Gestalten in die Entsprechung, zum Holz, wie es mit der verborgenen Fülle seines Wesens *in das Wohnen des Menschen** hereinragt“. Der echte Schreiner *(menuisier)* bringt sich in die Entsprechung zur verborgenen Fülle des Wesens des Holzes und nicht zum Werkzeug oder zum Gebrauchswert. Zur verborgenen Fülle aber, insoweit sie in den bewohnten Ort (ich lege hier allen Nachdruck auf den Wert des *Ortes,* aus Gründen, die erst später deutlich werden), und zwar in den vom *Menschen* bewohnten Ort, „hereinragt". Es gäbe kein Metier des Schreiners ohne diese Entsprechung zwischen dem Wesen des Holzes und dem Wesen des Menschen als ein dem Wohnen anheimgegebenes Sein. *Métier* heißt auf Deutsch *Handwerk*, travail de la main* (Arbeit mit der Hand), *œuvre de main* (Handarbeit, ein von Hand geschaffenes Werk), wenn nicht sogar *manœuvre* (Handhabung). Wenn der Franzose sich genötigt sieht, *Handwerk** mit *métier* zu übersetzen, so ist das vielleicht legitim und unvermeidlich – es ist aber doch ein gewagtes Manöver, im Handwerk des Übersetzens, weil man dabei die Hand verliert. Und es wird darin dieses wieder eingeführt, was Heidegger vermeiden will: der geleistete Dienst, die Nützlichkeit, das Amt, das *ministerium,* von dem vielleicht sogar das Wort *„métier"* herkommt. *Handwerk*,* das edle Metier, das ist ein manuell betriebenes Metier, das nicht, wie irgendeine andere Berufstätigkeit, dem öffentlichen Nutzen oder dem Profitstreben untergeordnet ist. Als *Handwerk** wird dieses edle Metier ebenfalls das Metier des Denkers oder des Lehrers, der das Denken lehrt, sein (der Lehrer ist nicht unbedingt der Lehrende, der Professor der Philosophie). Ohne diese Übereinstimmung mit dem Wesen des Holzes, welches selbst mit dem Wohnen des Menschen zur Übereinstimmung gekommen ist, wäre die Tätigkeit eine leere. Sie bliebe eine bloß auf das Geschäft*, den Handel oder den Hang zum Profit gerichtete Beschäftigung*. Implizit kommt es zu einer nicht minder eindeutigen Hierarchisierung und Bewertung: auf der einen Seite, aber desgleichen nach oben versetzt – auf der Seite des Besseren – steht das vom Wesen des menschlichen Wohnens, vom Holz der Hütte eher als vom Metall oder Glas der Städte geführte Handwerk*; auf der anderen, aber desgleichen nach unten gerückt, findet sich die Beschäftigung, mit der die Hand vom Wesentlichen abgeschnitten wird, die nützliche Aktivität, der vom Kapitel gelenkte Utilitarismus. Gewiß kann, wie Heidegger anerkennt, das Unechte stets das Echte anstecken/kontaminieren, der echte Schreiner ein Möbelhändler für „Großflächen" (Supermärkte) und das Handwerk des Wohnens *(l'habitat)* zu einem internationalen Konzern werden, der, glaube ich, den Namen „Habitat" trägt. Die Hand ist in Gefahr. „Jedes Handwerk*, alles menschliche Handeln* steht immer in dieser Gefahr. *Das Dichten** ist hiervon so wenig ausgenommen wie *das Denken**.[26] Die Analogie ist eine zweifache: zwischen *Dichten** und *Denken** zum einen, aber zum anderen auch zwischen beiden, Dichtung und Denken, und dem echten *Handwerk**. Denken ist ein Handwerk, sagt Heidegger ausdrücklich. Er sagt es unumwunden und sogar ohne dieses „vielleicht*", welches die Analogie des Denkens mit der Manufaktur des Schreins, die „viellecht" dergleichen ist wie das Denken, gemildert hat. Hier, ohne Analogie und ohne „vielleicht", erklärt Heidegger: „*Es* [*das Denken**] *ist jedenfalls ein Hand-Werk** [*une œuvre de la main,* in zwei Worten]."[27]

Das heißt nicht, daß man *mit* den Händen denkt, wie man im Französischen zu sagen pflegt, daß *on parle* avec *ses mains* – man *mit* den Händen spricht, wenn man seine Rede mit ausladenden Gesten begleitet, oder daß *on pense* avec *ses pieds* – man *mit* den Füßen denkt, wenn man, wie wiederum der Franzose zu sagen pflegt, *est bête comme ses pieds* – so dumm ist wie die eigenen Füße. Was meint Heidegger also, und warum wählt er hier die Hand aus, während er an anderer Stelle vorzieht, das Denken mit dem Licht oder der *Lichtung**, man könnte sagen, dem Auge, oder noch mit dem Gehör und der Stimme in Übereinstimmung zu bringen?

Drei Vermerke *(remarques)*, dafür bestimmt, hierzu eine Antwort vorzubereiten.

1. Ich habe diesen Text zur Einführung in eine Lektüre von *Geschlecht** ausgewählt. Heidegger bindet darin in der Tat das Denken – und nicht allein die Philosophie – an ein Denken oder an eine Situierung/Erörterung des Leibes*, des Leibes des Menschen als homo und des Menschen* als Menschenwesen. Es wird uns damit gestattet sein, bezüglich dessen, was von der Hand gesagt oder geschwiegen wird, eine Dimension von *Geschlecht** als *sexe* oder sexuelle Differenz zu erahnen. Das Denken ist nicht eine Sache des Hirns oder eine des Leibes enthobene; die Beziehung auf das Wesen des Seins ist eine bestimmte *Manier* des *Daseins** als *Leib**. (Ich gestatte mir den Hinweis auf das, was ich zu diesem Sujet im ersten Artikel über *Geschlecht** sage.)

2. Heidegger privilegiert die Hand in dem Moment, wo er, über die Beziehungen zwischen dem Denken und dem Metier des Lehrers sprechend, zwischen der gewöhnlichen Berufstätigkeit (eine durch öffentlichen Nutzen oder Profitstreben orientierte *Beschäftigung*: Geschäft**) und, zum anderen, dem echten *Hand-Werk** unterscheidet. Nun, um das *Hand-Werk**, das keine Berufstätigkeit ist, zu definieren, muß man das *Werk**, *l'œuvre,* denken, aber auch *Hand** und *handeln**, was man nicht einfach mit *„agir“* übersetzen könnte. Es ist geboten, die Hand zu denken. Doch man kann sie nicht denken wie ein Ding, ein Seiendes, und noch weniger wie ein Objekt. Die Hand denkt, bevor sie gedacht wird, *sie ist Denken,* sie ist ein Gedanke, sie ist das Denken.

3. Mein dritter Vermerk dürfte enger an eine klassische Abhandlung über die „Politik“ Heideggers im Kontext des Nationalsozialismus gebunden sein. In all seinen Selbst-Rechtfertigungen nach dem Kriege stellt Heidegger seinen Diskurs über das Wesen der Technik als Erhebung eines Einspruchs, als einen kaum verhüll-

ten Akt des *Widerstands* dar *gegen:* 1. die berufsständische Organisation *(professionalisation)* der Universitätsstudien, wie sie von den Nazis und ihren offiziellen Ideologen hingebungsvoll betrieben wurde. Heidegger erinnert an den Gegenstand seiner *Rektoratsrede,* die sich in der Tat gegen die berufsständische Organisation, welche gleichfalls eine Technologisierung beinhaltet, erhebt;[28] 2. die Unterwerfung der nationalsozialistischen Philosophie unter das Gebiet und die Gebote der technischen Produktivität. Die Überlegungen über das echte *Hand-Werk** haben ebenfalls den Sinn eines handwerklichen Einspruchs gegen die Austilgung oder Herabminderung der Hand in der industriellen Automatisierung des modernen Maschinenbetriebs. Diese Strategie zeitigt zweifelhafte Wirkungen, daran besteht kein Zweifel: sie öffnet einer archaisierenden Rückwendung hin zum ländlichen Handwerk Tür und Tor und denunziert das Gewerbe beziehungsweise das Kapital – und womit diese Bezeichnungen damals assoziiert wurden, ist ja wohl bekannt. Des weiteren wird zusammen mit der Arbeitsteilung auf diese Weise implizit dies, was man die „intellektuelle Arbeit" nennt, in Mißkredit gebracht.

Nachdem ich diese Vermerke angebracht habe, möchte ich immer noch die Idiomatizität hervorheben in dem, was Heidegger uns über die Hand sagt: „Mit der Hand hat es eine eigene Bewandtnis*."[29] Mit der Hand bekommt man es mit einem ganz besonderen, eigenen, einzigartigen Ding zu tun. *Une chose à part* (eine Sache für sich/ein Ding für sich), wie die französische Übersetzung sagt, wobei sie Gefahr läuft, an ein abgetrenntes Ding, an eine abgetrennte Substanz denken zu lassen, so wie Descartes von der Hand sagte, daß sie ein Teil des Körpers wäre, gewiß, aber mit einer derartigen Unabhängigkeit ausgestattet, daß man sie auch als eine ganz für sich seiende und gewissermaßen abtrennbare Substanz ansehen könnte. Doch nicht in diesem

Sinne behauptet Heidegger von der Hand, daß sie ein Ding für sich sei. In dem, was ihr eigenes* ist *(de propre ou de particulier)*, ist sie kein Teil des „Organismus unseres Leibes", wie es die *„gewöhnliche Vorstellung*"* vorgibt, gegen die uns Heidegger zu denken einlädt.

*Das Wesen der Hand** läßt sich nicht *„als ein leibliches Greiforgan** bestimmen*". Es ist kein organischer Teil des Leibes, dazu bestimmt zu nehmen, zu greifen, ja sogar zu krallen, und gar noch – wie wir hinzufügen möchten – zu nehmen, zu vernehmen, zu begreifen, sofern man vom *Greif-** zum *begreifen** und zum *Begriff** übergeht. Heidegger hat nicht umhin gekonnt, die Sache/das Ding *(la chose)* sich so sagen zu lassen, und man kann hier, was ich anderswo zu tun versucht habe, die gesamte Problematik der philosophischen „Metapher" verfolgen, insbesondere bei Hegel, welcher den *Begriff** als die den sinnlichen Akt des *Begreifens** „aufhebende*" geistige oder Verstandesstruktur darstellt, als ein Begreifen, das sich im Nehmen, im sich Bemächtigen, im Beherrschen und Hand Anlegen vollzieht. Wenn es ein Denken der Hand oder eine Hand des Denkens gibt, wie Heidegger sie zu denken gibt, so gehört diese nicht mehr der Ordnung des begrifflichen Greifens an. Sie gehört vielmehr dem Wesen der *Gabe* an, einer Gebung, welche – wenn so etwas möglich ist – geben würde, ohne etwas zu nehmen. Wenn die Hand auch ein Greiforgan* ist – niemand kann das ableugnen –, so hat sie doch nicht darin ihr Wesen; dieses ist nicht das Wesen der Hand beim Menschen. Dieser Kritik des Organizismus und des Biologismus kommt gleichfalls die politische Bestimmung zu, von der ich gerade vor einem Augenblick sprach. Doch reicht das zu ihrer Rechtfertigung hin?

Genau hier taucht in der Tat ein Satz auf, der auf mich zugleich einen symptomatischen und einen dogmatischen Eindruck macht. Dogmatisch, das heißt auch metaphysisch, von einer dieser „gewöhnlichen

Vorstellungen" abstammend, welche die Gefahr mit sich bringen, die Kraft und die Notwendigkeit des Diskurses an selbiger Stelle zu kompromittieren. Dieser Satz läuft alles in allem darauf hinaus, das menschliche *Geschlecht**, unser *Geschlecht**, und das tierische, das sogenannt „tierische" *Geschlecht** zu unterscheiden. Ich glaube, und ich habe des öfteren geglaubt, es auch betonen zu müssen, daß die Manier – lateral oder zentral –, in der ein Denker oder ein Wissenschaftler von einer sogenannten „Animalität" sprach, ein entscheidendes Symptom bildete, was die grundsätzliche Axiomatik des gehaltenen Diskurses betraf. Genauso wenig wie die anderen, Klassischen wie Modernen, scheint mir Heidegger hier der Regel zu entgehen, wenn er schreibt: *„Greiforgane besitzt z. B.* [*zum Beispiel**, Hervorhebung von mir – J. D.] *der Affe, aber er hat keine Hand**."[30]

Dogmatisch in ihrer Form, setzt diese traditionelle Aussage ein empirisches oder positives Wissen voraus, ohne daß die dazu berechtigenden Geltungsansprüche, Beweise und Zeichen hier gezeigt werden. Wie die Mehrzahl derjenigen, die als Philosophen oder als verständige Mitmenschen über die Animalität sprechen, nimmt Heidegger nicht groß Rücksicht auf ein gewisses „zoologisches Wissen", wie es angehäuft, differenziert und verfeinert wird mit dem zum Sujet, was unter dem so allgemeinen und konfusen Wort der Animalität zusammengetragen wird. Er kritisiert es nicht und er überprüft es nicht daraufhin, daß sich auch darin Voraussetzungen aller – metaphysischer und weiterer – Arten verbergen können. Dieses als stillschweigendes Wissen aufgerichtete *(erigé)*, sodann zur Wesensaussage – mit dem Wesen der Greiforgane des Affens, der keine Hand haben soll, als Sujet – exponierte Nicht-Wissen ist nicht nur in seiner Form eine Art empirisch-dogmatisches Hapaxlegomenon, irregeführt oder irreführend inmitten eines Diskurses, der für sich in Anspruch nimmt, auf der Höhe des dringlichst erforderten, über die Philosophie und die Wissenschaft hinausreichenden Denkens zu sein. In seinem Inhalt selbst ist es eine Behauptung, durch die der wesentliche Schauplatz des Textes markiert wird. Er wird durch einen Humanismus markiert, der gewiß kein metaphysischer sein will – Heidegger hebt das im folgenden Absatz hervor –, sondern ein Humanismus, der zwischen einem menschlichen *Geschlecht**, das man der biologistischen Bestimmung entziehen will (um der Motive willen, die ich gerade eben genannt habe), und einer Animalität, die man innerhalb seiner organisch-biologischen Programme einschließt, eben nicht Differenzen einschreibt, sondern eine absolute, über eine Opposition gebildete Grenze, von der ich anderswo zu zeigen versucht habe, daß sie, wie es stets bei einer Opposition geschieht, die Differenzen ausstreicht und auf das Homogene zurückführt, womit sie der widerständigsten metaphysisch-dialektischen Tradition folgt. Was Heidegger über den handlosen/der Hand beraubten/der Hand entbehrenden *(privé de main)* Affen – und damit auch, wie man sehen wird, des Denkens, der Sprache, der Gabe entbehrenden Affen – sagt, ist nicht allein in der Form dogmatisch, weil Heidegger an diesem Punkt/in diesem Maße nichts davon weiß und nichts davon wissen will.[31] Das ist schwerwiegend, denn damit wird ein System von Grenzen umrissen, innerhalb derer alles das, was er über die Hand des Menschen sagt, Sinn und Wert annimmt. Sobald eine derartige Eingrenzung problematisch ist, wird auch der Name des Menschen, sein *Geschlecht**, selbst problematisch. Denn er nennt das, was die Hand und damit das Denken, das Sprechen oder die Sprache, und die Offenheit für die Gabe hat.

Die Hand des Menschen wäre also ein Ding für sich nicht als abtrennbares Organ, sondern als different, verschieden* von allen Greiforganen (Tatzen, Krallen,

Fängen); sie ist davon *„unendlich**, d. h. *durch einen Abgrund des Wesens*"* verschieden.

Dieser Abgrund ist das Sprechen und das Denken. *„Nur ein Wesen, das spricht, d. h. denkt, kann die Hand haben und in der Handhabung Werke der Hand vollbringen*."** Die Hand des Menschen wird vom Denken, dieses jedoch vom Sprechen oder von der Sprache aus gedacht. Das ist die Anordnung, welche Heidegger der Metaphysik entgegensetzt: *„Doch nur insofern der Mensch spricht, denkt er; nicht umgekehrt, wie die Metaphysik es noch meint."*[32]

Der wesentliche Moment dieser Überlegungen schafft eine Öffnung hin zu dem, was ich die zweifache *Berufung (vocation)* der Hand heißen werde. Ich bediene mich des Wortes der Berufung, um ins Gedächtnis zu rufen, daß – seiner Bestimmung* nach – diese Hand das Sprechen/Wort hält/diese Hand auf das Sprechen/ Wort Wert legt *(cette main tient (à)la parole)*. Doppelte, jedoch in ein und derselben Hand versammelte und über Kreuz geführte Berufung: Berufung zu zeigen* oder ein Zeichen* zu geben – und zu geben oder sich zu geben, in einem Wort: die *(De)Monstrierbarkeit (monstrosité) der Gabe oder dessen, was sich gibt.*

Allein *das Werk der Hand** ist reicher, als wir gewöhnlich meinen [*meinen:* glauben, dazu eine Meinung haben]. Die Hand *greift und fängt nicht nur**, drückt und stößt nicht nur. Die Hand *reicht und empfängt** [man muß auf die Gleichklänge hören, die das im Deutschen hat: *greift, fängt / reicht, empfängt**] und zwar nicht allein Dinge, sondern sie reicht sich und sie empfängt sich in der anderen. Die Hand *hält**. Die Hand *trägt**.[33]

Dieser Übergang von der transitiven Gabe, wenn man das so sagen kann, zur Gabe dessen, was *sich* gibt, was sich selbst als Geben-Können gibt, was die Gabe gibt, dieser Übergang von der Hand, die etwas gibt, in die Hand, die *sich* gibt, ist offensichtlich entscheidend. Wir finden einen Übergang vom selben Typus oder von der selben Struktur im folgenden Satz wieder: nicht allein die Hand des Menschen gibt Zeichen und zeigt, sondern der Mensch selbst ist ein Zeichen *(signe)* oder ein Zeichen/Monstrum *(monstre)*, und damit werden, auf der folgenden Seite, Zitat und Interpretation von *Mnemosyne* in Gang gebracht.

> Die Hand *zeichnet**, vermutlich weil der Mensch *ein Zeichen ist**. Die Hände *falten sich** [*se joignent:* verbinden sich, fügen sich zusammen; auch *se plient*], wenn diese Gebärde den Menschen in die große Einfalt [*simplicité: Einfalt*;* ich bin nicht sicher, ob ich diesen Satz verstehe, der mit dem *sich falten** und der *Einfalt** spielt; ob es sich um das Gebet – Dürers Hände – oder um gewöhnliche Gesten handeln mag, wichtig ist, daß die Hände (sich) als solche einander berühren, sich selbst-affizieren können, und dies sogar noch in der Berührung der Hand des anderen im Geben der Hand. Und daß sie auch imstande wären, *sich zu zeigen*] tragen soll. Dies alles ist die Hand und ist *das eigentliche Hand-Werk**. In ihm beruht jegliches, was wir gewöhnlich als *Handwerk** kennen und wobei wir es belassen. Aber die *Gebärden** [ein Wort, mit dem Heidegger auch in anderen Texten sehr viel gearbeitet hat] der Hand gehen überall durch die Sprache [*langage*, oder *langue*] hindurch und zwar gerade dann am reinsten, wenn der Mensch spricht, indem er schweigt. Doch nur insofern der Mensch spricht, denkt er; nicht umgekehrt, wie die Metaphysik es noch meint. Jede Bewegung der Hand in jedem ihrer Werke *trägt sich** durch das Element, *gebärdet sich** im Element des Denkens. Alles Werk der Hand beruht im Denken. Darum ist *das Denken** selbst das einfachste und deshalb schwerste *Hand-Werk** des Menschen, wenn es zu Zeiten *eigens** vollbracht sein möchte.[34]

Der Nerv der Argumentation kann meines Erachtens *an erster Stelle und in einem ersten Herangehen* auf die gesicherte Opposition von *geben* und *nehmen* zurückgeführt werden: die Hand des Menschen *gibt* und *gibt sich* – wie das Denken oder wie das, was sich zu denken gibt und was wir noch nicht denken, wohingegen das Organ des Affen oder des Menschen als bloßes Tier, ja als *animal rationale*, allein *das Ding zu nehmen, zu greifen, sich seiner zu bemächtigen* vermag. Aus Mangel an Zeit muß ich mich auf ein Seminar beziehen, das schon einige Zeit zurückliegt (*Donner-le temps*, 1977) und in welchem wir diese Opposition zu problematisieren vermocht haben. Nichts ist weniger gesichert als die Unterscheidung zwischen *geben* und *nehmen,* sowohl in den indo-europäischen Sprachen (ich verweise hier auf den berühmten Text von Benveniste, „Don et échange dans le vocabulaire indo-européen“, in: *Problèmes de linguistique générale,*[35] 1951-1966) als auch in der Erfahrung einer *Ökonomie* – symbolisch oder imaginär, bewußt oder unbewußt, es steht noch aus, alle diese Valeurs genau im Ausgang von der Unsicherheit dieser Opposition zwischen der Gabe und der Nahme, zwischen der Gabe, die ein Geschenk macht/gegenwärtig macht *(fait présent),* und derjenigen, die nimmt, behält oder zurückhält, zwischen der Gabe, die Gutes tut, und der Gabe, die Böses zufügt, zwischen dem Geschenk *(cadeau)* und dem *Gift** (*poison/gift* oder *pharmakon* usw.) aufs neue zu erarbeiten.

An letzter Stelle indes müßte diese Opposition, bei Heidegger, auf diejenige zwischen dem das-Ding-geben/nehmen *als solches* und dem geben/nehmen ohne dieses *als solches,* und letzten Endes ohne das Ding selbst, verweisen. Man könnte auch sagen, daß das Tier das Ding nur in dem Maße nehmen oder manipulieren kann, wie es nicht mit dem Ding *als solchem* zu tun hat. Es läßt dieses nicht das sein, was es in seinem Wesen ist. Es hat keinen Zugang zum Wesen des Seienden *als solchem.*[36] Mehr oder weniger direkt, auf eine mehr oder weniger sichtbare Weise, spielt die Hand oder das Wort *Hand** eine unermeßliche Rolle in der gesamten Heideggerschen Begrifflichkeit seit *Sein und Zeit,* insbesondere in der Bestimmung der Gegenwärtigkeit über den Modus der *Vorhandenheit** oder der *Zuhandenheit**. Ersteres hat man im Französischen mehr oder weniger gut mit *„étant subsistant“* und im Englischen schon besser mit *„presence-at-hand“* übersetzt, das zweite mit *„être disponible“*, wie Werkzeug oder Gerät, und besser, denn das Englische vermag die Hand zu behalten, durch *„ready-to-hand“*, *„readiness-to-hand“*. Das *Dasein** ist weder *vorhanden** noch *zuhanden**. Sein Ge-

genwärtigkeitsmodus ist anders, aber es ist dennoch erforderlich, daß es die Hand gibt, damit es sich auf die anderen Modi der Gegenwärtigkeit beziehen kann.

Die mit *Sein und Zeit* (§ 15) gestellte Frage versammelt die größte Kraft ihrer Ökonomie im deutschen Idiom und, in diesem, im Heideggerschen Idiom: ist die *Vorhandenheit** in der *Zuhandenheit** fundiert* oder nicht? Buchstäblich: welche – von zwei Beziehungen zur Hand – ist diejenige, welche die andere fundiert? Wie soll man diese Fundierung beschreiben, welche *entsprechend der Hand* in dem, was das *Dasein** auf das Sein des Seienden bezieht, welches es nicht ist (*Vorhandensein** und *Zuhandensein**), erfolgt? Welche Hand fundiert die andere? Die Hand, die Bezug zum Ding als handhabbares Werkzeug hat, oder die Hand als Bezug zum Ding als beständiges und unabhängiges Objekt? Diese Frage ist für die gesamte Strategie von *Sein und Zeit* entscheidend. Ihr Einsatz: nichts weniger als die von Heidegger eingeschlagene ursprüngliche Gangart für die Dekonstruktion der klassischen Ordnung des Fundierens (am Schluß von § 15). Diese ganze Passage ist auch eine Analyse des *Handelns** (*action* oder *pratique*) als Gebärde der Hand in ihrer Beziehung zum Gesicht/Blick *(vue)* und damit eine neuerliche Perspektivierung dessen, was man die Opposition *praxis-theoria* nennt. Rufen wir uns zurück, daß für Heidegger „das ‚praktische‘ Verhalten ... nicht ‚atheoretisch‘ (ist)“.[37] Und ich werde nur einige wenige Zeilen zitieren, um daraus zwei Leitfäden zu ziehen:

Die Griechen hatten einen angemessenen Terminus für die *„Dinge*“:* *pragmata,* d. i. das, womit man es *im besorgenden Umgang (praxis) zu tun** hat. Sie ließen aber ontologisch gerade den spezifisch „pragmatischen“ Charakter der *pragmata im Dunkeln** [mit einem Wort, die Griechen waren die ersten, welche die *Zuhandenheit** des (Werk)Zeugs zugunsten der *Vorhandenheit** des Bestand habenden Objekts im Dunkeln beließen: man könnte sagen, daß sie die ganze klassische Ontologie eröffnet haben, indem sie eine Hand im Dunkeln/im Schatten ließen, indem sie die eine Hand Schatten/Argwohn *(ombrage)* fallen ließen auf die andere, indem sie, in einer gewaltsamen Hierarchisierung, die eine Erfahrung der Hand ersetzten für eine andere Erfahrung der Hand] und bestimmten sie „zunächst" als *„bloße Dinge*"*. Wir nennen das *im Besorgen** begegnende Seiende das *Zeug**.[38] *Im Umgang** [*dans la vie courante,* im gewöhnlichen Leben, *dans l'environnement quotidien et social,* in der alltäglichen und sozialen Umgebung] sind vorfindlich Schreibzeug, Nähzeug, Werk-, Fahr-, Maßzeug [*des outils qui permettent d'écrire, de coudre, de nous déplacer, de mesurer, d'effectuer tout travail manuel* – Ich zitiere aus einer hinsichtlich *Schreibzeug, Nähzeug, Werk-, Fahr-, Meßzeug** ausgesprochen unzulänglichen französischen Übersetzung]. Die Seinsart von *Zeug** ist herauszustellen. Das geschieht am Leitfaden der vorherigen *Umgrenzung** [*délimitation* statt *description,* wie es in der vorliegenden Übersetzung heißt] dessen, was ein Zeug zu Zeug macht, der *Zeughaftigkeit**.[39]

Diese Seinsart wird genau die *Zuhandenheit** *(readiness-to-hand)* sein. Und Heidegger nimmt bereits hier, um im folgenden Kapitel darüber sprechen zu können, die Beispiele auf, die er in gewisser Weise unter der Hand/zur Hand/griffbereit *(sous la main)* hat: das Schreibzeug*, die Feder*, die Tinte*, das Papier*, die Unterlage*, wofür man im Französischen den glücklichen Terminus des *sous-main* hat, der Tisch, die Lampe, die Möbel und, während seine Augen sich um ein weniges über die Hände, die gerade im Begriff sind zu schreiben, zu den Fenstern, den Türen hin erheben, das Zimmer.

Kommen wir jetzt zu den zwei Fäden, die ich mit der Hand ziehen möchte, um daraus zwei Leitfäden zu machen oder um gleichfalls zu nähen und zu schreiben, ein wenig in meiner Manier.

A. Der erste betrifft die *praxis* und die *pragmata.* Ich hatte dies alles bereits geschrieben, als John Sallis, dem ich dafür danken möchte, meine Aufmerksamkeit auf eine sehr viel spätere Passage von Heidegger lenkte. Sie skandiert in ergreifender/anschaulicher Weise *(de façon saissisante)* dieses langwierige Handhaben *(manœuvre),* das aus dem *Weg des Denkens* und der Frage nach dem Sinn von Sein ein langanhaltendes und ununterbrochenes Nachdenken der Hand/*über* die Hand *(meditation* de *la main)* macht. Heidegger behauptet über das Denken immer wieder, daß es ein Weg, daß es unterwegs* sei; doch unterwegs, im Gehen, ist der Denker unaufhörlich mit einem Denken der Hand befaßt. Lange Jahre nach *Sein und Zeit,* das in der Analyse von *Vorhanden**- und *Zuhandenheit** nicht *thematisch* über die Hand spricht, doch zehn Jahre vor *Was heißt Denken?,* das aus der Hand ein Thema macht, gibt es dieses Seminar über *Parmenides* (*Gesamtausgabe,* Band 54, Frankfurt 1982), welches 1942-1943 die Überlegungen über *pragma* und *praxis* wiederaufnimmt. Obgleich das deutsche Wort *Handlung** nicht die buchstäbliche Übersetzung von *pragma* ist, trifft es, wenn man es richtig vernimmt, genau; es trifft *„das ursprünglich wesentliche Wesen von pragma*"*, denn jene *pragmata* stellen sich, *„im Bereich der ‚Hand'*"*, als die *„Vorhandenen*"* und die *„Zuhandenen*"* dar.[40] Alle aus *Was heißt Denken?* bekannten Motive begeben sich bereits an ihren Platz. Nur das Seiende, das wie der Mensch das Wort* *(mythos, logos)* „hat", kann auch und muß die Hand haben,[41] die Hand, der es zu verdanken ist, daß das Gebet, aber auch der Mord, der Gruß und der Dank, der Schwur und der Wink*, allgemein: das *Handwerk**, zustande kommen kann. Ich hebe aus Gründen, die erst später deutlich werden, die Anspielung auf den *Handschlag** [*la poignée de main,* beziehungsweise dieses, was man *„toper" dans la main* heißt: einschlagen, einem Vorschlag (per Handschlag) zustimmen] hervor, der, wie Heidegger sagt, den Bund* (*l'alliance:* den Bund, das Bündnis, *l'accord:* die Übereinstimmung, die Abmachung, den Vertrag, *l'engagement:* die Verpflichtung) „gründet". Die Hand kommt an in ihrem Wesen, west* nur in der Bewegung der Wahrheit, in der zweifachen Bewegung dessen, was verbirgt und aus dieser seiner Zurückhaltung hervorgehen läßt *(Verbergung*/Entbergung*).* Im übrigen ist das gesamte Seminar der Geschichte der Wahrheit gewidmet *(aletheia, lethe, lathon, lathes)*. Und wenn Heidegger bereits in derselben Passage[42] sagt, daß das Tier nicht die Hand hat, daß eine Hand niemals aus einer Pfote oder aus Klauen, sondern allein aus dem Sprechen/dem Wort, hervorgehen kann, stellt er sogleich klar, daß „der Mensch nicht Hände ‚hat'", sondern daß *die* Hand das Wesen des Menschen innehat, um darüber zu verfügen *(„Der Mensch ‚hat' nicht Hände, sondern die Hand hat das Wesen des Menschen inne*...*"*[43]*)*.

B. Der zweite Faden führt auf die Schrift zurück. Wenn die Hand des Menschen aufgrund des Sprechens oder des Wortes* dieses ist, was sie ist, so wird die unmittelbarste, die ursprünglichste Manifestation dieses Ursprungs die Geste/Gebärde der Hand sein, mit dem Ziel, das Wort manifest werden zu lassen, das heißt die manuelle Schrift, die Handschrift* *(l'écriture manuelle, la manuscripture)*, welche zeigt – und das Wort für den Blick einschreibt/einzeichnet. „Das Wort als das *eingezeichnete** [*dessiné* oder *inscrit*] *und so dem Blick sich zeigende** ist das geschriebene Wort, *d. h. die Schrift**. *Das Wort als die Schrift aber ist die Handschrift**."[44] Anstelle von *„écriture manuelle"* für *Handschrift* sagen wir lieber *„manuscripture"*, denn wir möchten nicht, wie das so häufig geschieht, vergessen, daß die Schrift der Schreibmaschine, gegen die Heidegger eine unerbittliche Anklagerede erheben wird, ebenfalls eine manuelle Schrift ist. In der kurzen, in einem Absatz umrissenen *„‚Geschichte' der Art des Schreibens*"* *(„‚histoire' de l'art*[45] *d'écrire")* glaubt Heidegger das Grundmotiv einer *„Zerstörung des Wortes*"* (*„destruction du mot"* oder *de la parole*) zu erkennen. Die typographische Mechanisierung zerstört die Einheit des Wortes, diese integrale Identität, diese eigene Integrität des gesprochenen Wortes, welches die Handschrift, sowohl, weil sie der Stimme oder dem eigenen Leib näher zu sein scheint, als auch, weil sie die Buchstaben bindet und verbindet, bewahrt und versammelt. Ich betone dieses Motiv der Versammlung aus Gründen, die ebenfalls gleich deutlich werden. Die Schreibmaschine strebt die Zerstörung des Wortes an: sie „entreißt* die Schrift dem Wesensbereich der Hand, und d. h. des Wortes“.[46] Das auf der Maschine „getippte“ Wort ist nur eine Abschrift* und Heidegger erinnert an die frühen Zeiten der Schreibmaschine, in denen ein maschinengeschriebener/ein daktylographierter Brief gegen die Regeln des Anstands verstieß. Heute ist es der handgeschriebene Brief, der einen sträflichen Eindruck hinterläßt: er verlangsamt das Lesen und erscheint altmodisch. Er stellt sich dem, was Heidegger als eine wirkliche Degradierung des Wortes durch die Maschine ansieht, als Hindernis in den Weg. Die Maschine „degradiert*“ das Wort oder das Sprechen und reduziert es auf ein bloßes Verkehrsmittel*, ein Instrument des Handels und der Kommunikation. Darüber hinaus bietet sie für diejenigen, die diese Degradierung wünschen, den Vorteil, die handgeschriebene Schrift und den „Charakter“ zu verbergen. „In der Maschinenschrift sehen alle Menschen gleich aus“, schließt Heidegger.[47]

Man müßte genau den Wegen nachgehen, auf denen die Denunziation der Schreibmaschine sich verschärft und verdeutlicht.[48] Am Ende heißt es: *„Die Schreibmaschine verhüllt das Wesen des Schreibens und der Schrift.*“*[49] Diese Verhüllung ist gleichfalls eine Bewegung des Entzugs oder des Entziehens (die Worte *entziehen*, Entzug** tauchen des öfteren in dieser Passage auf). Und wenn in diesem Entzug die Schreibmaschine *„zeichenlos*“ (sans signe)*, insignifikant, a-signifikant wird,[50] so deshalb, weil sie die Hand verliert. Sie bedroht jedenfalls dieses, was – in der Hand – das Wort *(la parole)* oder – für das Wort – den Bezug des Seins zum Menschen und vom Menschen zu den Seienden bewahrt. *Die Hand handelt*, „la main manie“*. Die Wesenszusammengehörigkeit* der Hand mit dem Wort, eine das Wesen des Menschen bestimmende Unterscheidung, manifestiert sich darin, daß die Hand genau das manifestiert, was verborgen ist, „daß *die Hand Verborgenes entbirgt**". Und sie schafft das genau in ihrem Bezug auf das Wort, indem sie zeigt und indem sie schreibt, indem sie Zeichen gibt, zeigende Zeichen, oder, mehr noch, indem sie diesen Zeichen oder „Zeichen"/„Monstren" *Formen* gibt, welche Schrift geheißen werden *(„...indem sie zeigt und zeigend zeichnet und zeichnend die zeigenden Zeichen zu Gebilden bildet. Diese Gebilde heißen nach dem „Verbum" graphein die grammata.*"*[51]*)*. Dies impliziert – und es wird von Heidegger ausdrücklich gesagt: *„Die Schrift ist in ihrer Wesensherkunft die Hand-schrift.*"* Und, wie ich hinzufügen möchte, was Heidegger nicht sagt, aber was mir noch entscheidender zu sein scheint, es ist die *unmittelbar* an das Wort gebundene Schrift, das heißt wahrscheinlicher noch das *System der phonetischen Schrift,* es sei denn, dieses, welches *Wort*, zeigen** und *Zeichen** versammelt, nehme nicht notwendig immer seinen Gang über die Stimme, und das Sprechen/das Wort, von dem Heidegger hier spricht, sei wesentlich verschieden von jeder *phoné*. Dieser Unterschied wäre ungewöhnlich genug, um eine Hervorhebung zu verdienen. Doch Heidegger bringt kein Wort davon über die Lippen. Er beharrt im Gegenteil auf der wesentlichen und ursprünglichen Zusammengehörigkeit von *Sein*, Wort*, legein, logos, Lese*, Schrift** als *Hand-schrift**. Diese sie versammelnde Zusammengehörigkeit hängt im übrigen an der Bewegung des Versammelns selbst, welche Heidegger immer wieder, hier wie auch anderswo, im *legein* und im *Lesen** liest *(„...das Lesen d. h. Sammeln*...")*. Das Motiv der Versammlung* kommandiert das Nachdenken des *Geschlechts**/über *Geschlecht** in dem Text über Trakl, den ich gleich kurz ansprechen werde. Hier gehört der Protest gegen die Schreibmaschine gleichfalls in den

Bereich einer Interpretation der Technik und einer Interpretation der Politik von der Technik her. Das ist eine Selbstverständlichkeit. Genau wie *Was heißt Denken?* wenige Seiten nach Behandlung der Hand Marx anführen wird, setzt das Seminar von 1942-1943 Lenin und den „Leninismus" ein (ein Name, den Stalin dieser „Metaphysik" gegeben hat). Heidegger erinnert an das Wort Lenins: „Der Bolschewismus ist Sowjetmacht + Elektrifizierung."[52] Als er dieses schrieb, trat Deutschland gerade mit Russland und mit den Vereinigten Staaten (die in diesem Seminar gleichfalls nicht verschont werden) in den Krieg ein; eine elektrische Schreibmaschine gab es hingegen noch nicht.

Diese offensichtlich positive Bewertung der Handschrift schließt eine Abwertung der Schrift im allgemeinen nicht aus, im Gegenteil. Sie gewinnt ihren Sinn innerhalb der allgemeinen Auslegung der Art/der Kunst zu schreiben *(l'art d'écrire)* als einer wachsenden Zerstörung des Wortes oder des Sprechens. Die Schreibmaschine ist nur eine moderne Verschlimmerung des Übels. Dieses kommt nicht nur von der Schrift her, sondern auch von der Literatur. Unmittelbar vor dem Zitat aus *Mnemosyne* bringt *Was heißt Denken?* zwei scharfe, schneidende Behauptungen: 1. Sokrates ist „der reinste Denker des Abendlandes. Deshalb hat er nichts geschrieben"*.[53] Er hat es vermocht, sich in den Zug/den Wind und in die Bewegung des Entzugs, *„in den Zugwind dieses Zuges*"* dessen, was es zu denken gibt, zu stellen und zu halten. In einer weiteren Passage, die gleichfalls von diesem *„Zug des Entziehens*"* handelt *(qui traite aussi de ce retrait)*, unterscheidet Heidegger abermals den Menschen vom Tier – dieses Mal vom Zugvogel. Auf den allerersten Seiten von *Was heißt Denken?*[54] schreibt er, bevor er zum ersten Mal *Mnemosyne* zitiert: „Wenn wir in den *Zug des Entziehens** gelangen, sind wir – nur ganz anders als die Zugvögel – auf dem Zug zu dem, was uns anzieht, indem es sich ent-

zieht." Die Wahl des Beispiels hängt hierbei am deutschen Idiom: *oiseau migrateur* heißt auf deutsch *Zugvogel**. Wir, die Menschen, wir sind im Zug* *(trait)* dieses Entziehens *(retrait), nur ganz anders als die Zugvögel**.
2. Die zweite scharfe, schneidende Behauptung: das Denken erfährt seinen Niedergang in dem Moment, wo man zu schreiben beginnt, *im Ausgang* des Denkens, aus dem Denken *herausgehend* (au sortir *de la pensée,* en sortant *de la pensée*), um sich vor diesem, wie vor dem Zug/dem Wind, zu schützen. Es ist der Augenblick, wo *„das Denken ... in die Literatur ein(ging)*"*.[55] Vor dem Denken geschützt, hätte dieser Eintritt in die Schrift und in die Literatur (im weiten Sinne des Wortes) sowohl in der Gestalt der *doctrina* des Mittelalters *(Lehre*)* als auch in jener der *scientia* der Moderne über das Geschick der abendländischen Wissenschaften entschieden. Natürlich geht es darin um dieses, was den herrschenden Begriff von Disziplin, Lehre und Universität konstruiert. Es wird damit ersichtlich, wie um die Hand und um das Wort herum und mit einer stark ausgeprägten Kohärenz all jene Züge organisiert werden, auf deren unaufhörliche Wiederkehr ich an anderer Stelle unter den Namen des Logozentrismus und des Phonozentrismus aufmerksam gemacht habe. Welche lateralen und marginalen Motive es auch immer sein mögen, die gleichzeitig darin arbeiten und wirken, so wird doch ein bestimmter, strikt durchgehaltener Diskurs Heideggers von Logozentrismus und Phonozentrismus beherrscht – und dies seit der Wiederholung der Frage nach dem Sinn von Sein, der Destruktion der klassischen Ontologie, der existenzialen Analytik und ihrer Neuverteilung der (existenzialen und kategorialen) Bezüge zwischen *Dasein*, Vorhandensein** und *Zuhandensein**.

Die mir für diesen Vortrag auferlegte Ökonomie verbietet es mir, über diese erste Verortung in der Heideggerschen Auslegung der Hand hinauszugehen.

Um das, was ich hier sage, besser, in einer differenzierteren Kohärenz, mit dem zu verbinden *(relier)*, was ich an anderer Stelle, insbesondere in *Ousia et Grammè*,[56] über Heidegger sage, müßte man eine bestimmte Seite aus *Das Wort des Anaximander* (1946)[57] wiederlesen *(relire)*, das heißt aus einem Text, der gleichfalls *Mnemosyne* nennt, und mit dem sich *Ousia et Grammè* auseinandersetzt. Diese Seite weist darauf hin, daß in *chréôn*, welches man im allgemeinen mit „Notwendigkeit" übersetzt, *è cheir*, die Hand, spricht: „...*chrao* sagt: *ich be-handle etwas**..." *(„je manie, je porte la main à quelque chose")*. Der Fortgang des Absatzes – zu schwierig für eine Übersetzung, denn er behandelt genau das deutsche Idiom (*in die Hand geben**, *einhändigen**, *aushändigen**: *remettre en mains propres*, sodann *délivrer, abandonner, überlassen**) – entzieht das Partizip *chreôn* den Valeurs des *Zwangs** und des *Müssens**. Im gleichen Zug entzieht es diesen das Wort *Brauch**, welches Heidegger zur Übersetzung von *to chréôn* vorschlägt und das im alltäglichen Deutsch „das Bedürfnis" bedeutet. Die Hand ist somit nicht notwendig vom „Bedürfnis" her zu denken. Im Französischen hat man *der Brauch** mit *le maintien* übersetzt, was neben einigen Unverträglichkeiten oder fehlgehenden Bedeutungen/falschen Richtungen *(faux sens)* die Chance einer zweifachen Anspielung ausnutzt: auf die Hand *(la main)* und auf das Jetzt *(maintenant)*, denen die eigentliche Sorge dieses Textes gilt. Wenn das *Brauchen** das *chréôn*, welches *„das Anwesende in seinem Anwesen**"[58] zu denken gestattet, gut übersetzt, wie Heidegger behauptet, wenn es eine Spur* nennt, die in der Geschichte des Seins, so wie diese sich als abendländische Metaphysik entfaltet, verschwindet, wenn *der Brauch** zugleich „die Versammlung*: *o logos*"[59] ist, nun, dann ist – vor jeder Technik der Hand, jeder Chirurgie – die Hand nicht wegen nichts/nicht ohne Grund dabei *(la main n'y est pas pour rien)*.

II

Die Hand *des* Menschen: Sie haben es sicherlich bemerkt, Heidegger denkt die Hand nicht nur als eine ganz singuläre und nur dem Menschen als Eigenes gehörende Sache. Er denkt sie stets *im Singular,* als hätte der Mensch nicht zwei Hände, sondern bloß – dieses Zeichen/Monstrum – eine einzige Hand. Nicht ein einzelnes Organ in der Mitte des Körpers, so wie der Zyklop ein einziges Auge mitten in der Stirn hatte, obgleich diese Vorstellung, die zu wünschen übrig läßt, auch zu denken gibt. Nein, *die* Hand des Menschen, das bedeutet, daß es sich nicht länger um jene Greiforgane oder jene als Werkzeuge benutzbaren Glieder handelt, wie *die* Hände es sind. Die Affen haben Greiforgane, die den Händen ähnlich sind; der Mensch der Schreibmaschine und der Technik im allgemeinen bedient sich beider Hände. Aber der sprechende und, wie es heißt, mit der Hand schreibende Mensch, ist das nicht das Zeichen/Monstrum (mit) einer einzigen Hand? Auch wenn Heidegger folgendes schreibt: *„Der Mensch ‚hat' nicht Hände, sondern die Hand hat das Wesen des Menschen inne*“* (*„L'homme n' ‚a' pas de mains, mais la main occupe, pour en disposer* – hat inne, um darüber zu verfügen –, *l'essence de l'homme“),* betrifft die supplementäre Präzisierung nicht nur, wie man als erstes sieht, die Struktur des „Habens“ – ein Wort, das Heidegger in Anführungszeichen setzt und dessen Bezug er umzukehren vorschlägt (der Mensch *hat* nicht Hände; es ist die Hand, welche den Menschen *hat*). Die Präzisierung betrifft den Unterschied zwischen Plural und Singular: *nicht Hände, sondern die Hand**. Was dem Menschen durch den *logos* oder durch das Wort* zukommt/geschieht *(arrive),* kann gar nichts anderes sein als eine einzelne Hand. Die Hände – das ist bereits oder immer noch die organische oder technische Zerstreuung. Man darf also nicht erstaunt sein über das Fehlen einer jeden, beispielsweise im Kantischen Stil gehaltenen Anspielung auf das Spiel der Differenz zwischen der Rechten und der Linken, auf den Spiegel oder auf ein Paar Handschuhe. Diese Differenz kann nur eine *sinnliche* sein. Ich für mein Teil, der ich bereits in meiner Manier mich mit dem einen Paar Schuhe, mit dem linken Fuß und dem rechten Fuß bei Heidegger abgegeben habe,[60] ich werde mich heute keinen weiteren Schritt mehr auf diesem Wege voranwagen. Ich werde mich mit zwei Vermerken begnügen. Zum einen, *on the one hand*, wie man bei Ihnen zu sagen pflegt, sieht es, soweit meine Kenntnis reicht, so aus, als wenn der einzige Satz, in dem Heidegger die Hände des Menschen im Plural benennt, genau den Augenblick des Gebetes betrifft oder jedenfalls die Geste, in der die beiden Hände sich falten*, um in der Einfalt* eins zu werden. Stets wird von Heidegger die Versammlung* privilegiert. Zum anderen, *on the other hand*, wird niemals etwas über die Liebkosung oder über das Begehren gesagt. Macht man Liebe, macht der Mensch Liebe mit der Hand oder mit den Händen? Und wie steht es in dieser Hinsicht mit der sexuellen Differenz? Man stelle sich Heideggers Protest vor: diese Frage ist eine abgeleitete, das, was Sie Begehren oder Liebe nennen, setzt die Heraufkunft *der* Hand aus dem Wort voraus, und seit der Zeit, da ich auf die Hand, welche gibt, sich gibt, verspricht, sich aufgibt, gewährt, aushändigt und im Bund oder Schwur verpflichtet, angespielt habe, verfügen Sie über alles, was Sie notwendig brauchen, um dieses zu denken, was sie vulgär Liebe machen, liebkosen oder gar begehren heißen. – Mag sein, aber warum soll man es nicht sagen?[61]

[Dieser letzte Vermerk sollte mir als Übergang dienen hin zu jenem Wort, jener Marke, „*Geschlecht**“, dem wir jetzt in einem anderen Text weiter nachzugehen haben. Ich werde diesen Teil meiner Vorlesung, der den Titel *Geschlecht* III* tragen müßte und wovon das (maschinengetippte/daktylographierte) Manuskript photo*kopiert* und an einige von Ihnen verteilt worden ist, um eine Diskussion darüber zu ermöglichen, nicht vortragen. Ich werde mich also auf einen stark verkürzten Aufriß beschränken.]

Ich sagte soeben „das Wort ‚*Geschlecht**'": es ist so, daß ich nicht einmal sicher bin, daß es einen Referenten gibt, der bestimmt und dem eine Einheit gegeben werden kann. Ich bin nicht einmal sicher, ob man vom *Geschlecht** auch jenseits des Wortes „*Geschlecht**" sprechen könnte – welches sich hier folglich in Anführungszeichen zitiert, eher erwähnt *(mentioned)* als verwendet *(used)* findet. Infolgedessen lasse ich es in Deutsch stehen. Kein Wort, kein Wort für Wort, wird genügen, dies hier zu übersetzen, welches in seinem idiomatischen Wert *la souche* (Stamm, Schlag), *la race, la famille, l'espèce* (die Art), *le genre* (die Gattung), *la génération, le sexe* versammelt. Sodann, nachdem ich das Wort „*Geschlecht**" gesagt habe, habe ich mich zurückgenommen beziehungsweise korrigiert: die „Marke ‚*Geschlecht**'", stellte ich klar. Denn das Thema meiner Analyse lief auf eine Art Komposition oder Dekomposition hinaus, welche – genau/zu Recht – die Einheit dieses Wortes berührt. Vielleicht ist es nicht einmal mehr ein Wort. Vielleicht muß man von Beginn an einen Zugang nehmen im Ausgang von seiner Desartikulation oder seiner Dekomposition, mit anderen Worten: seiner Formation, seiner Information, seinen Deformationen oder Transformationen, seinen Übersetzungen, der Genealogie seines ausgehend von oder entsprechend der Teilung der Worte in Stücke vereinigten Körpers. Wir werden uns also für das *Geschlecht** des *Geschlechts**, für seine Genealogie oder seine Generation interessieren. Doch diese genealogische Komposition von „*Geschlecht**" wird, in dem Text Heideggers, den wir jetzt zu befragen haben, nicht zu trennen sein von der Dekomposition des menschlichen *Geschlechts**, von der Dekomposition des Menschen.

Ein Jahr nach *Was heißt Denken?* veröffentlicht Heidegger 1953 „*Die Sprache im Gedicht**" im *Merkur* unter dem Titel *Georg Trakl,* mit einem Untertitel, der sich sozusagen nicht ändern wird, in dem Moment, wo der Text 1959 in *Unterwegs zur Sprache* aufgenommen wird: *Eine Erörterung seines Gedichtes.* Alle diese Titel sind bereits praktisch unübersetzbar. Ich werde dennoch sehr oft auf die wertvolle Übersetzung zurückgreifen, von Jean Beaufret und Wolfgang Brokmeier in der *Nouvelle Revue Française* (Januar-Februar 1958) veröffentlicht und heute in *Acheminement vers la parole*[62] aufgenommen. In jedem Schritt bleibt das Wagnis des Denkens aufs engste in die Sprache, das Idiom und die Übersetzung eingebunden. Ich begrüße das mutige Unternehmen, das eine derartige Übersetzung, noch in ihrer Verschwiegenheit, dargestellt hat. Unsere Schuld gilt hier einer Gabe, die sehr viel mehr gibt als dies, was man eine französische Version nennt. Jedes Mal, wenn ich gezwungen sein werde, von dieser Übersetzung abzuweichen, wird das ohne die mindeste Absicht einer Bewertung und schon gar nicht der einer Verbesserung geschehen. Vielmehr werden wir genötigt sein, die Aufrisse zu vervielfältigen, das deutsche Wort in Unruhe zu versetzen und mehreren Wellen von Berührungen, Liebkosungen oder Schlägen gemäß zu analysieren. Eine Übersetzung, im geläufigen Sinn dessen, was unter diesem Namen veröffentlicht wird, kann sich das nicht erlauben. Doch wir haben im Gegenteil die Pflicht, dies jedes Mal zu tun, wenn das Kalkül des Wort für Wort, ein Wort für ein anderes, das heißt das konventionelle Ideal der Übersetzung, herausgefordert sein wird. Es wäre übrigens legitim, ja augenscheinlich trivial, in Wahrheit aber wesentlich, hielte man diesen Text über Trakl für eine Erörterung* *(situation)* dessen, was wir übersetzen heißen. Im Herzen dieser Erörterung, dieses Ortes*, *Geschlecht**, das Wort oder die Marke. Denn die Komposition und die Dekomposition dieser Marke, die Arbeit Heideggers an seiner Sprache, seine manuelle und handwerkliche Schrift, sein *Hand-Werk** auszustreichen, dazu neigen fatalerweise die existierenden Übersetzungen (die französische und, wie ich unterstellen möchte, auch die englische).

Vor jedem weiteren Präliminar ... springe ich mit einem Satz/auf einen Schlag *(je saute d'un coup)* mitten in den Text, um mit einem ersten Schlaglicht *(flash)* den mich interessierenden Ort zu erhellen. In zweimaliger Aufnahme, im ersten und im dritten Teil, erklärt Heidegger, daß das Wort *„Geschlecht*"* im Deutschen, „in unserer Sprache" (es stellt sich immer noch die Frage nach dem „wir"), eine Vielfalt von Bedeutungen hat. Doch diese besondere Vielfalt muß in irgendeiner Manier versammelt werden. In *Was heißt Denken?*, kurz nach der Passage/dem Übergang über die Hand, verwahrt sich Heidegger einmal mehr gegen „das eingleisige Denken" und den eingleisigen Weg.[63] Auch wenn er daran erinnert, daß *„Geschlecht*"* offen ist für eine Art Polysemie, macht er sich doch, vor und nach allem, auf den Weg hin zu einer bestimmten, diese Vielfalt versammelnden Einheit. Diese Einheit ist keine Identität, sondern eine, welche die Einfachheit/Einfalt des Selben wahrt – bis in die Form der Falte. Diese ursprüngliche Einfalt will Heidegger jenseits jeder etymologischen Ableitung – zumindest, so wie diese dem strikt philologischen Sinne der Etymologie entspricht – zu denken geben.

1. Die erste Passage[64] zitiert die vorletzte Strophe des Gedichtes *Herbstseele (Ame d'Automne)*. Ich lese sie in der Übersetzung, die uns später noch einige Probleme bereiten wird:

Bientôt fuient poisson et gibier
Ame bleue, obscur voyage
Départ de l'autre, de l'aimé
Le soir change sens et image
(Sinn und Bild).

Bald entgleitet Fisch und Wild.
Blaue Seele, dunkles Wandern
Schied uns bald von Lieben, Andern.
Abend wechselt Sinn und Bild.

Heidegger schließt an: „Die Wanderer, die dem Fremdling folgen, sehen sich alsbald geschieden *‚von Lieben', die für sie ‚Andere' sind**. *Die Anderen – das ist der Schlag der verwesten Gestalt des Menschen**."

Das findet sich wie folgt übersetzt: *„Les ‚Autres' entendons la souche défaite de l'homme."* *„Schlag***"* meint im Deutschen mehr als eine Sache. Im eigentlichen Sinne *(sens propre)*, wie das Wörterbuch sagen würde, ist es *le coup* mit all den Bedeutungen, die man damit zu assoziieren vermag. Doch im bildlichen/übertragenen Sinne *(sens figuré)*, sagt das Wörterbuch, ist es auch *la race* oder *l'espèce, la souche* (das Wort, welches hier von den französischen Übersetzern ausgewählt worden ist). Heideggers Gedankengang wird sich von diesem Bezug zwischen *Schlag** (als *coup* und als *souche* zugleich) und *Geschlecht** leiten lassen. *Der Schlag der verwesten Gestalt des Menschen** – das impliziert ein *Verwesen** im Sinne dessen, was „in seine Komponenten zerfallen" *(„décomposé")* ist, wenn man es wörtlich gemäß dem gebräuchlichen Code für das Verfaulen der Körper nimmt, aber auch, in einem anderen Sinn/einer weiteren Richtung *(sens)*, dem der Zersetzung des Seins oder des Wesens*, den Heidegger ohne Unterlaß immer wieder neu umreißen wird. Er eröffnet hiermit einen Absatz, der mit *„Unsere Sprache***"* beginnt: „Unsere Sprache *nennt das aus einem Schlag geprägte** [*ayant reçu l'empreinte d'une frappe*] *und in diesen Schlag verschlagene** [*et dans cette frappe frappée de spécification* – und in der Tat heißt *verschlagen** gewöhnlich *spécifier* (absondern), *séparer* (abtrennen), *cloisonner* (unterteilen, verschlagen), *distinguer* (unterscheiden), *différencer* (differenzieren)] Menschenwesen das ‚*Geschlecht**'." „Unsere Sprache nennt ... das Menschenwesen ... ‚Geschlecht*'." Das Wort steht in Anführungszeichen. Ich gehe weiter bis zum Ende dieses Absatzes, dessen Kontext später nachzubilden sein wird: „Das Wort [*Geschlecht** also] bedeutet sowohl das Menschengeschlecht* im Sinne der Menschheit*, als auch die Geschlechter im Sinne der Stämme, Sippen und Familien, dies *alles wiederum geprägt** [*frappé au sens de ce qui a reçu l'empreinte, den typos,* die typische Markierung] *in das Zwiefache der Geschlechter**." *Dualité générique des sexes* ist eine gewagte Übersetzung im Französischen. Es ist wahr, daß Heidegger dieses Mal von der sexuellen Differenz spricht, die von neuem, in einem zweiten Schlag *(wiederum geprägt*)* das *Geschlecht** in all den gerade aufgezählten Bedeutungen schlagen, prägen wird (so wie man im Französischen auch *battre monnaie* sagt: *Geld prägen*). Auf diesen zweiten Schlag werden sich später meine Fragen konzentrieren. Doch Heidegger sagt nicht *„dualité générique" (geschlechtliche Zweiheit)*. Und was das Wort *das Zwiefache**, das Doppelte, das Duale, das Zweifache, betrifft, so wird von diesem das ganze Rätsel des Textes getragen, welches sich zwischen dem *Zwiefachen**, einer bestimmten Duplizität, einer bestimmten Falte *(pli)* der sexuellen Differenz oder *Geschlecht**, und, auf der anderen Seite, der *Zwietracht der Geschlechter** als Entzweiung, Krieg, Nichtübereinstimmung, Gegensatz, als das Duale/das Duell der Gewalt und der erklärten Feindseligkeiten, abspielt.

2. Die zweite Passage wird dem dritten Teil entnommen werden[65] im Fortgang eines Wegverlaufs, der bereits einiges verschoben haben wird: „Das ‚Ein' [in Anführungszeichen und kursiv im deutschen Text] *im*

Wort ‚Ein *Geschlecht**' [Zitat eines Verses von Trakl; dieses Mal haben die französischen Übersetzer – ohne sichtbare oder hinreichende Begründung – entschieden, *Geschlecht** durch *„race“* zu übersetzen] *meint nicht ‚eins' statt ‚zwei'**. Das ‚Ein' bedeutet auch nicht *das Einerlei einer faden Gleichheit** [Ich erlaube mir bezüglich dieses Punktes den Hinweis auf den ersten Teil meines Essays mit dem Titel *„Geschlecht*“*]. *Das Wort* ‚Ein *Geschlecht'* nennt hier** überhaupt *keinen biologischen Tatbestand*, weder die ‚Eingeschlechtlichkeit', noch die ‚Gleichgeschlechtlichkeit'*. In dem* [von Trakl] *betonten* ‚Ein *Geschlecht'** verbirgt sich jenes Einende, das aus der versammelnden Bläue [*de l'azur appareillant* – das ist nicht zu verstehen, sofern man nicht Kenntnis hat von der symphonischen oder synchromatischen Lektüre der Blaus oder des azurnen Blaus des Himmels in den Gedichten Trakls, wie ich sie in der Fortsetzung des Exposés, die ich nicht vortragen werde, zu leisten versuche, und sofern man nicht Kenntnis hat davon, daß die französischen Übersetzer mit *„appareillant“* das Wort *versammelnd** übersetzen: *rassemblant* (versammelnd), *recueillant* (aufnehmend) in das Selbe oder das „Gleiche“ *(le „pareil“)*, was nicht identisch ist] der geistlichen Nacht einigt*. *Das Wort* [zu ergänzen: das Wort *Ein* in *Ein* Geschlecht*] *spricht aus dem Lied*, worin das Land des Abends* [*le pays du déclin* oder *l'Occident*, das Abendland] *gesungen wird**. Demgemäß behält hier das Wort *‚Geschlecht*'* seine volle bereits genannte *mehrfältige Bedeutung**. Es nennt einmal *das geschichtliche Geschlecht des Menschen, die Menschheit, im Unterschied zum übrigen Lebendigen (Pflanze und Tier)**. Das Wort *‚Geschlecht*'* nennt sodann die *Geschlechter** [im Plural: das Wort *Geschlecht** nennt die *Geschlechter**!], *Stämme, Sippen, Familien dieses Menschengeschlechtes**. Das Wort *‚Geschlecht*'* nennt zugleich *überall** [*partout* – Heidegger legt sich nicht auf „all diese Unterscheidungen“ *(„toutes ces distinctions“)* fest, wie die französische Übersetzung es in Analogie mit der ersten Definition einführt, aber das ist hier nicht weiter wichtig] die *Zwiefalt der Geschlechter** [*le dédoublement générique* – die französische Übersetzung benennt hier nicht die doch offensichtliche Sexualität, wohingegen sie weiter oben das *Zwiefache der Geschlechter** noch mit *„dualité générique des sexes"* übersetzte]."

Soeben hat Heidegger also daran erinnert, daß *„Geschlecht"* zugleich* die sexuelle Differenz benennt, ihr einen Beinamen gibt, zusätzlich/als Supplement zu all den anderen Bedeutungen. Und den folgenden Absatz eröffnet er mit dem Wort *Schlag**, welches die französische Übersetzung mit *frappe* wiedergibt, was sich in zweierlei Hinsicht als ungünstig erweist. Zum einen verfehlt sie die Berufung auf den Vers von Trakl, dessen Wort *Flügelschlag** ganz richtig mit *„coup d'aile"* übersetzt wird. Zum anderen löscht sie, indem sie sich zur Übersetzung desselben Wortes, *Schlag**, zweier verschiedener Worte, *coup* und *frappe*, bedient, dieses aus, was Heidegger autorisiert, sich auf eine Verwandtschaft zwischen *Schlag** und *Geschlecht** zu berufen in den zwei Versen, die er gerade im Zug ist zu lesen. Die Verse sind einem Gedicht mit dem Titel *Abendländisches Lied* entnommen. Ein anderes trägt den Titel *Abendland;* und der Untergang *des* Abendlandes, *als* Abendland, steht im Zentrum dieses Gedankenganges.

Ô de l'âme nocturne coup d'aile
O der Seele nächtlicher Flügelschlag*.

Nach diesen zwei Versen zwei Punkte/ein Doppelpunkt und, ganz einfach, zwei Worte: „Ein *Geschlecht.**" „Ein*": das einzige Wort, welches, wie Heidegger notiert, Trakl in seinem ganzen Werk auf diese Weise *betont** *(souligné)* haben wird. *Souligner,* das ist betonen*. Das in dieser Weise betonte Wort (Ein*) würde somit den Grundton* *(le ton fondamental, la note* *fondamentale)* angeben. Aber es ist der *Grundton** des *Gedichtes** und nicht der *Dichtung**, denn Heidegger unterscheidet regelmäßig das *Gedicht**, das stets ungesprochen*, schweigend bleibt, von den Dichtungen*, die aus dem *Gedicht** hervorgehend sich sagen und sprechen.[66] Das *Gedicht** ist die schweigende Quelle der geschriebenen und vorgetragenen Dichtungen*, von denen allerdings auszugehen ist, wenn man den Ort*, die Quelle, nämlich das *Gedicht** erörtern* will. Aus diesem Grunde kann Heidegger über dieses „Ein *Geschlecht**" sagen, das es den *Grundton** birgt, aus dem das *Gedicht** dieses Dichters das Geheimnis* schweigt*. Dem mit *Der Schlag** beginnenden Absatz wird es damit möglich, seine Autorisierung nicht nur aus einer philologischen Zerlegung/Verwesung *(decomposition)* zu ziehen, sondern aus dem, was im Vers, in der *Dichtung** Trakls geschieht: *„Der Schlag*, der sie in die Einfalt des* ‚Einen *Geschlechts' prägt** und so *die Sippen des Menschengeschlechtes** und damit dieses selbst in das Sanfte der stilleren Kindheit zurückbringt, schlägt, indem er die Seele den Weg in den ‚blauen Frühling' [ein Zitat Trakls, das durch Anführungszeichen angezeigt wird, welche in der französische Übersetzung weggelassen sind] *einschlagen läßt*."*

Das sind also die beiden noch ihrem Kontext entzogenen Passagen/Übergänge, in denen Heidegger zugleich die Polysemie/Mehrfalt und die fokale Einfachheit/Einfalt von *„Geschlecht*"* in „unserer Sprache" thematisiert. Diese Sprache, welche die unsere ist, die deutsche, ist auch die „unsers *Geschlechts**", wie Fichte sagte, sofern *Geschlecht** auch Familie, Generation, Stamm heißt. Nun ist dies, was sich mit der Schrift dieses Wortes, *Geschlecht**, in unserem *Geschlecht** und in unserer Sprache* schreibt und abspielt, idiomatisch genug in seinen Möglichkeiten, um nahezu unübersetzbar zu bleiben. Die Verwandtschaft zwischen *Schlag** und *Geschlecht** hat nur aus dieser *„Sprache*"* statt und ist nur aus ihr denkbar. Nicht nur aus dem deutschen Idiom, welches ein „nationales“ Idiom zu nennen ich hier zögere, sondern aus dem überdeterminierten Idiom eines einzigartigen *Gedichtes** und eines einzigartigen *Dichtens**, hier dem oder denen Trakls, dann noch zusätzlich überdeterminiert durch das Idiom eines *Denkens**, dieses, welches über die Schrift von Heidegger ergeht. Ich sage ausdrücklich *Dichten** und *Denken**. Wie erinnerlich sind *Dichten** und *Denken** für Heidegger ein Werk der Hand, das denselben Gefahren ausgesetzt ist wie das Hand-Werk* des Schreiners. Es ist gleichfalls bekannt, daß Heidegger die Philosophie und die Wissenschaft niemals mit Denken und Dichten auf eine Höhe setzt. Diese sind trotz ihrer radikalen Verschiedenheit verwandt und parallel – Parallelen, die sich schneiden und sich anschneiden, sich aufschneiden in einem Ort, der gleichfalls eine Art Zeichnung*, das Einschneiden eines Risses* *(trait)*,[67] ist. Von diesem Parallelismus sind die Philosophie, die Wissenschaft und die Technik sozusagen ausgeschlossen.

Was ist von diesem Text zu halten/wie soll man über diesen Text denken *(que penser de ce texte)*? Und wie soll man ihn lesen?

Aber geht es überhaupt noch um eine *„lecture“* – im französischen oder englischen Sinn des Wortes? Nein, zumindest zweier Gründe wegen nicht. *Einerseits* ist es schon sehr spät und anstatt damit fortzufahren, die ungefähr hundert Seiten zu lesen, die ich diesem Text über Trakl gewidmet habe – eine erste unabgeschlossene und vorläufige, französisch geschriebene Version ist einigen von Ihnen mitgeteilt worden –, möchte ich mich darauf beschränken, in wenigen Minuten das hauptsächliche Anliegen dieses Textes, soweit es sich in eine Reihe von aufgeschobenen oder Aufschub gewährenden Fragen übersetzen läßt, anzudeuten. Ich habe sie, mehr oder weniger künstlich, um *fünf* Foyers[68] herum gruppiert. Nun betrifft aber *andererseits* einer dieser Foyers den Begriff *lecture*, der mir nicht adäquat erscheint, außer er würde gründlich ausgearbeitet, weder um dieses zu benennen, was Heidegger macht in seinem *Gespräch** mit Trakl oder in dem, was er das *Gespräch** oder die echte *Zwiesprache** eines Dichters mit einem Dichter oder eines Denkers mit einem Dichter nennt, noch um das zu benennen, was ich versuche beziehungsweise was mich an dieser *Auseinandersetzung** mit genau diesem Text Heideggers interessiert.

Mein beständigstes Anliegen gilt offensichtlich der „Marke" *(„marque")* *„Geschlecht*"* und dem, was in ihr die Markierung *(marque)*, die Prägung, den Eindruck, eine bestimmte Schrift als *Schlag**, *Prägung** usw. *vermerkt (remarque)*. Dieses *Ver-merken*/diese *Re-markierung (re-marque)* unterhält meines Erachtens eine wesentliche Beziehung mit dem, was ich, etwas willkürlich, unter diesen fünf Foyers des Fragens an die erste Stelle setze:

1. *Vom Menschen und von der Animalität/der Tierheit.* Der Text über Trakl gibt auch einen Vorschlag, wie die Differenz zwischen Animalität und Humanität/zwischen Tierheit und Menschheit zu denken sei. Es soll sich hierbei um die Differenz zwischen zwei sexuellen Differenzen handeln, um die Differenz, um den Bezug zwischen der 1 und der 2, und um die Teilbarkeit im allgemeinen. Im Brennpunkt dieses Herdes *(au foyer de ce foyer)* die Marke *Geschlecht** in ihrer Polysemie/Mehrfalt (Art oder Geschlechtsmerkmal – *espèce ou sexe*) und in ihrer Dissemination/Zerstreuung.

2. Ein weiteres Foyer des Fragens betrifft genau das, was Heidegger über die Mehrfalt/Polysemie sagt, welche ich von der Dissemination unterscheiden werde. In mehrfacher Wiederholung zeigt sich Heidegger empfänglich für das, was man eine „gute" Polysemie nennen könnte, die der dichterischen Sprache und des „großen Dichters". Diese Polysemie muß sich in eine „höhere" Einstimmigkeit und in die Einmaligkeit eines

Einklangs* *versammeln* lassen. Heidegger gelangt auf diese Weise dahin, *für ein Mal* eine *„Sicherheit*"* der so durch die Kraft der Versammlung gestreckten dichterischen Strenge hoch zu bewerten. Und diese „Sicherheit*" stellt er sowohl dem „Umhertasten" der mittelmäßigen Dichter, die sich der schlechten Polysemie (welche sich eben nicht in einem *Gedicht** oder in einem einzigen Ort* versammeln läßt) überlassen, als auch der Eindeutigkeit der Exaktheit* in Technik und Wissenschaft gegenüber.[69] Dieses Motiv macht auf mich einen zugleich traditionellen (eigentlich aristotelischen), in seiner Form dogmatischen und, insofern es anderen Heideggerschen Motiven widerspricht, symptomatischen Eindruck. Denn ich „kritisiere" Heidegger nie, ohne an die Möglichkeit zu erinnern, dieses von anderen Orten seines eigenen Textes aus zu tun. Dieser Text könnte gar nicht homogen sein und ist – wenigstens – mit zwei Händen geschrieben.[70]

3. Diese Frage, der ich folglich den Titel *Polysemie und Dissemination* gebe, kommuniziert mit einem anderen Foyer, in dem sich mehrere *Methodenfragen* überkreuzen. Was macht Heidegger? Wie „verfährt" er und nach welchen Wegen, *odoi,* die noch nicht oder bereits nicht mehr *Methoden* sind. Was ist Heideggers Schritt auf diesem Weg? Was ist sein Rhythmus in diesem Text, der sich explizit über das Wesen des *rhythmos* ausspricht, und was ist desgleichen seine Manier, sein *Hand-Werk** des Schreibens? Diese Über-Methoden-hinaus-Fragen sind auch Fragen nach der Beziehung, die dieser Text von Heidegger (und derjenige, den ich wiederum schreibe) mit dem unterhält, was man als Hermeneutik, Interpretation oder Exegese, Literaturkritik, Rhetorik oder Poetik bezeichnet, aber auch mit der Summe der Wissensbestände der Human- oder Sozialwissenschaften (Geschichte, Psychoanalyse, Soziologie, Politologie usw.). Zwei Entgegensetzungen oder Unterscheidungen, zwei Begriffspaare geben der

Heideggerschen Argumentation Halt – und ich wiederum befrage diese. Da ist *zum einen* die Unterscheidung zwischen *Gedicht** und *Dichtung**. Das *Gedicht** (ein unübersetzbares Wort, einmal mehr) ist, an seinem Ort, dieses, welches alle *Dichtungen** eines Dichters versammelt. Diese Versammlung ist nicht die eines vollständigen Korpus, einer Sammlung Sämtlicher Werke, es ist eine einzige Quelle, die sich nirgends in einer Dichtung darstellt/vergegenwärtigt. Es ist der Ort des Ursprungs, aus dem die Dichtungen entspringen und in den hinein sie wieder zurückfließen – einem „Rhythmus" folgend. Er ist nicht anderswo, nichts anderes, und doch vermischt er sich nicht mit den Dichtungen, insofern sie etwas sagen*. Das *Gedicht** ist „ungesprochen*". Was Heidegger anzeigen, mehr verkünden als zeigen will, ist der einzige Ort* dieses *Gedichtes**. Deshalb stellt Heidegger seinen Text als eine *Erörterung** vor, das heißt, wenn man der auferweckten Buchstäblichkeit dieses Wortes folgt, eine *Situierung (situation)*, die den einzigen *situs* oder den eigentlichen Ort des *Gedichtes**, aus dem die Dichtungen von Trakl singen, lokalisiert. Daraus folgt, *zum anderen*, eine zweite Unterscheidung zwischen der *Erörterung** des *Gedichtes** und einer *Erläuterung** der Dichtungen* selbst, von denen man indes seinen Ausgang zu nehmen hat. Ich bin folglich in die ganzen Schwierigkeiten eingebunden, die an diesem doppelten Ausgangspunkt und an dem, was Heidegger den *„Wechselbezug*"*, Bezug der Reziprozität oder des Austausches, zwischen Erörterung* und Erläuterung* nennt, hängen. Fällt dieser *Wechselbezug** mit dem zusammen, was man den hermeneutischen Zirkel nennt? Und wie praktiziert er, Heidegger, *auf seine Manier*, diesen *Wechselbezug**, oder welches Spiel spielt er damit?

4. Die letzte Formulierung, die immer noch auf Heideggers *Manier* oder, wie man es auch auf Französisch, mit einer anderen Konnotation, sagen kann, auf seine *manières*, seine Manieren/Umgangsformen, ab-

zielt, läßt sich nicht mehr, genausowenig wie nach Heideggers Auffassung die Hand, vom Ins-Werk-Setzen der Sprache abtrennen. Hier also von einer bestimmten Handhabung/einem bestimmten Manöver der Schrift. Sie sucht in den entscheidenden Momenten stets Zuflucht bei einer idiomatischen, das heißt unübersetzbaren – wenn man dem geläufigen Begriff der Übersetzung Vertrauen schenkt – Ressource. Diese durch das Idiom Trakls und durch das von Heidegger überdeterminierte Ressource ist nicht allein die des Deutschen, sondern ganz oft die eines Idioms, das dem althochdeutschen Idiom angehört. Auf meine Manier, das heißt, indem ich den Geheißen und der Ökonomie weiterer Idiome folge, verzeichne *(retrace)* und vermerke *(remarque)* ich alle Zufluchten, die Heidegger beim Althochdeutschen nimmt – und zwar jedes Mal, wenn er zu sagen beginnt: *in unserer Sprache bedeutet** jenes Wort *ursprünglich**... Ich kann hier, in diesem Überblick, nur die Liste der Worte, der Stücke von Worten oder Aussagen angeben, bei denen ich einen etwas längeren Aufenthalt vormerken möchte.

a. Da steht natürlich an erster Stelle das Wort „*Geschlecht**" und sein ganzes *Geschlecht**, seine ganze Familie, seine Wurzeln, seine gesetzmäßigen und seine nicht gesetzmäßigen Nachkommen. Heidegger ruft sie alle zusammen und gibt jedem seine Rolle. Es gibt *Schlag**, *einschlagen**, *verschlagen**, *zerschlagen**, *auseinanderschlagen** usw. Anstatt hier das ganze Heideggersche Handhaben/Manöver und das, worauf er uns verpflichtet, nachzuvollziehen, werde ich, zum Zeichen des Dankes, einen Absatz zitieren, den David Krell auf Englisch diesem Wort in Kapitel 11 seines im Erscheinen begriffenen Buches[71] widmet – von dem er mir nach der Veröffentlichung meines ersten Artikels über *Geschlecht** freundlicherweise die Fahnen zugeschickt hat. Das Kapitel trägt den Titel „*Strokes of love and death: Heidegger and Trakl*" und ich entnehme ihm folgendes:

*„Strokes of love and death": Schlag der Liebe, Schlag des Todes**. Was bedeuten die Worte *Schlag*, schlagen*?* Hermann Pauls *Deutsches Wörterbuch* listet sechs Hauptbedeutungsbereiche für *Schlag** auf; für das Verb *schlagen** führt es sechs „eigentliche" Bedeutungen und zehn „entferntere" Bedeutungen an. Übergegangen aus dem althochdeutschen und gotischen *slahan* (von dem auch das englische Wort *„slay"* abstammt), und verwandt mit dem modernen deutschen Wort *schlachten*, „to slaughter"*, bedeutet *schlagen* to strike a blow, to hit* oder *to beat*. Ein *Schlag**, das kann der Handschlag, das kann Schlag Mitternacht oder auch der Gehirnschlag sein; das Schlagen von Flügeln oder das des Herzens. *Schlagen** kann man mit dem Hammer oder mit der Faust. Gott macht es mit seinen Engeln und seinen Plagen, eine Nachtigall mit ihren Liedern. Eine der ausgeprägtesten Bedeutungen von *schlagen** ist das Schlagen oder Prägen einer Münze. *Der Schlag** kann folglich eine besondere Prägung, einen besonderen Stempel oder Typus bedeuten: ein Pferdehändler kann sich auf *einen guten Schlag Pferde** berufen. Aufgrund dieser Bedeutung gibt *Schlag** die Wurzel ab für ein Wort, das für Trakl von großer Wichtigkeit ist: *das Geschlecht**. Paul listet drei Hauptbedeutungen für *Geschlecht** (althochdeutsch *gislahti*) auf. Als erstes ist es die Übersetzung für das lateinische Wort *genus* und ist dem *Wort Gattung** äquivalent: das *Geschlecht** ist eine Gruppe von Menschen, die eine gemeinsame Ahnenreihe haben, im besonderen, wenn sie einen Teil des Erbadels bilden. Gewiß, führt man die Ahnenreihe weit genug zurück, so kann man auch vom *menschlichen Geschlecht* („humankind")* sprechen. Zweitens kann *das Geschlecht** eine Generation von Männern und Frauen bedeuten, die sterben, um einer nachfolgenden Generation den Weg zu bahnen. Drittens gibt es männliche und weibliche *Geschlechter**, und *Geschlecht** wird zur Wurzel für eine Vielzahl von Wörtern für die Dinge, welche Männer und Frauen im Hinblick auf die ersten beiden Bedeutungen haben und tun: *Geschlechts-glied** oder *-teil**, die Genitalien; *-trieb*; -verkehr** usw.

b. Sodann gibt es den Namen *Ort**. Wenn Heidegger bereits auf der ersten Seite ins Gedächtnis ruft, daß dieses Wort *ursprünglich die Spitze des Speers bedeutet**, so geschieht das vor allem (und über dieses „vor allem" ist noch sehr viel zu sagen), um seinen Versammlungswert zu betonen. *In ihr**, der Spitze, *läuft alles zusammen* (concourt et converge)*. Der Ort ist stets der Ort der Versammlung, *das Versammelnde**. Diese Definition des Ortes impliziert nicht nur die Zuflucht *(recours)* bei einer „ursprünglichen Bedeutung" in einer bestimmten Sprache, sondern kommandiert darüber hinaus den gesamten Gang der *Erörterung**, das der Einmaligkeit und der Unteilbarkeit in der Situierung des *Gedichtes** und dessen, was Heidegger einen „großen Dichter" nennt – der groß ist in dem Maße, wo er sich in diese Einmaligkeit des Versammelnden zurückbringt und den Kräften der Dissemination oder Dislozierung widersteht –, gewährte Privileg.[72] Natürlich müßte ich die Fragen rund um diesen Versammlungswert noch vervielfältigen.

c. Sodann gibt es noch die idiomatische und unübersetzbare Opposition zwischen *geistig** und *geistlich**, welche eine bestimmende Rolle spielt.[73] Sie autorisiert dazu, das *Gedicht** oder den „Ort" Trakls sowohl dem, was durch Heidegger unter dem Titel *der* „abendländischen Metaphysik" und ihrer platonischen Tradition, welche zwischen dem „sinnlichen" Stofflichen und dem „übersinnlichen" Geistigen *(aistheton/noeton)* unterscheidet, versammelt wird, als auch der christlichen Opposition zwischen dem Geistlichen und dem Zeitlichen zu entziehen. Heidegger verweist abermals auf die *„ursprüngliche Bedeutung*"*, dieses Mal die des Wortes *Geist* (gheis): aufgebracht*, entsetzt*, außer sich sein**, wie eine Flamme.[74] Es geht um die Ambivalenz des Feuers des Geistes, dessen Flamme zugleich das Gute *(le Bien)* und das Böse *(le Mal)* sein kann.

d. Sodann gibt es noch das Wort *fremd**, welches nicht das Fremde, *l'étranger,* im lateinischen Sinne desjenigen, was außerhalb ist, *extra, extraneus,* sondern dem althochdeutschen *fram* gemäß *eigentlich** bedeutet: *anderswohin vorwärts, unterwegs nach..., dem Voraufbehaltenen entgegen**. Das gestattet die Behauptung, daß das Fremde *(l'Etranger) nicht bar jeder Bestimmung, ratlos umher irrt**, nicht ohne einen Bestimmungsort ist.[75]

e. Darüber hinaus gibt es das Wort *Wahnsinn**, das nicht, wie angenommen wird, das Traumgesicht des Unsinnigen bedeutet. Sobald *Wahn** auf das althochdeutsche *wana* zurückgeführt ist, welches *ohne**, *sans,* bedeutet, ist der „*Wahnsinnige**" derjenige, der *ohne* den Sinn der Anderen *(*sans *le sens des Autres)*[76] bleibt. Er ist anderen Sinnes, und *Sinnan „bedeutet ursprünglich*": reisen, streben nach..., eine Richtung einschlagen**. Heidegger beruft sich auf die indo-germanische Wurzel *sent, set,* welche *Weg** bedeuten soll.[77] Hier spitzen sich die Dinge zu, denn eben der Sinn des Wortes *Sinn, sens,* erscheint unübersetzbar, gebunden an ein Idiom; und genau dieser Wert von Sinn, der doch den traditionellen Begriff der Übersetzung beherrscht, findet sich plötzlich/auf einen Schlag *(tout à coup)* in einer einzigen Sprache, Sprachfamilie oder einem einzigen Sprach*geschlecht** verwurzelt – und nimmt man ihn dort heraus, so verliert er seinen ursprünglichen Sinn.

Wenn die „Erörterung*" *(„situation")* des *Gedichtes** sich in ihren entscheidenden Momenten derart abhängig von der Zuflucht zum Idiom des *Geschlechts** und zum *Geschlecht** des Idioms erweist, wie soll dann die Beziehung zwischen dem Ungesprochenen des *Gedichtes** und seiner Zugehörigkeit zu einer Sprache und zu einem *Geschlecht**, wie soll die Aneignung noch seines Schweigens in einer Sprache und in einem *Geschlecht** zu denken sein? Diese Frage betrifft nicht nur das deutsche *Geschlecht** und die deutsche Sprache, sondern auch diejenigen, die im Abendland, vom abendländischen Menschen, anerkannt zu sein scheinen; denn diese ganze „Erörterung" ist durch die Sorge um den Ort, um den Weg und um die Bestimmung des Abendlandes vor-besetzt *(pré-occupée)*. Dies führt mich zum fünften Foyer. Ich vermehre die Foyers, um eine vielleicht etwas zu stark „ein Land angehende" *(„paysante")* Atmosphäre „aus diesem einen Land herauszuholen"/„zu befremden" *(depayser)* – ich sage nicht ländlich *(paysanne)*, und ginge es auch nur um Trakl...

5. In seiner Verwesung*, seinem Verderben, wird dem *Geschlecht** ein *zweiter Schlag* zugefügt, der die sexuelle Differenz mit Beschlag belegt und sie in Ent-

zweiung, in Krieg, in wilde Zwietracht verwandelt. Die ursprüngliche sexuelle Differenz ist zart, sanft, friedlich *(paisible)*. Wird diese mit einem „Fluch" geschlagen (*Fluch**, ein Wort von Trakl, welches Heidegger aufgenommen und interpretiert hat), so wird die Dualität oder Duplizität der Zwei zu einer entfesselten, ja bestialischen Zwietracht.[78] Von diesem Schema, das ich hier auf seinen denkbar allgemeinsten Ausdruck reduziere, behauptet Heidegger, allen Spuren und allen Zeichen, deren er sich durchaus bewußt ist, zum Trotz, daß es weder ein platonisches noch ein christliches sei. Es soll weder der metaphysischen Theologie noch der kirchlichen Theologie angehören.[79] Doch die (vorplatonische, vor-metaphysische oder vor-christliche) Ursprünglichkeit, an die uns Heidegger erinnert und in der er den eigentlichen Ort Trakls situiert, *hat keinen anderen Inhalt und auch keine andere Sprache* wie Platonismus und Christentum. Sie ist einfach dieses, von dem her so etwas wie die Metaphysik und das Christentum möglich ist und denkbar. Doch dies, was deren urmorgendlichen Ursprung und ultra-abendländischen Horizont bildet, ist nichts anderes als die Hohlform einer Wiederholung, im stärksten und ungewohntesten Sinn dieses Ausdrucks. Und die Form oder die „Logik" dieser Wiederholung ist nicht allein in diesem Text über Trakl lesbar, sondern in allem, was seit *Sein und Zeit* die Strukturen des *Daseins**, den Verfall*, den Ruf*, die Sorge* analysiert und diese Beziehung des „Ursprünglicheren" auf das, was das weniger Ursprüngliche wäre, im besonderen das Christentum, regelt. In diesem Text nimmt die Argumentation – vor allem um aufzuzeigen, daß Trakl kein christlicher Dichter sei – besonders aufwendige und mitunter auch sehr simplifizierende Formen an – die ich hier in diesem Schema nicht nachzubilden vermag. Gleichermaßen, wie Heidegger einen einmaligen und versammelnden Ort für das *Gedicht** Trakls fordert, muß er voraussetzen, daß es einen einzigen Ort, einen einmaligen und einstimmigen Ort für DIE Metaphysik und DAS Christentum gibt. Doch findet diese Versammlung statt? Hat sie einen Ort, eine Einheit des Ortes? Das genau ist die Frage, die ich somit in der Schwebe lasse – unmittelbar vor dem Fall, *avant la chute*. Im Französischen gibt man dem Ende eines Textes bisweilen den Namen *chute*. Anstatt *chute, au lieu de chute,* sagt man auch *l'envoi*.

Nachwort des Übersetzers

Es ist ein Irrtum zu glauben, der deutsche Übersetzer eines Textes von Derrida über Heidegger habe es leichter als ein in einer dritten Sprache „beheimateter" Kollege, der diesen Text zum Beispiel ins Englische oder ins Italienische übersetzt.

Denn will man übersetzen, *wie* Derrida an und mit Texten Heideggers arbeitet, wie Derrida Heidegger *liest,* so kann man nicht einfach den deutschen Text Heideggers restituieren: zu dieser Arbeit am Text gehört untrennbar das Übersetzen. Lektüre *ist* Übersetzung und Übersetzung *ist* Lektüre. Und das betrifft nicht nur das Verhältnis der beteiligten Sprachen. Unabhängig vom Verhältnis der Sprachen *ist* jede Lektüre – und damit auch die in der „eigenen" Sprache – Übersetzung, insofern sie gerade eine Auseinandersetzung mit diesem „Eigenen" der „eigenen" Sprache betreibt. Sie setzt das „Eigene" der Sprache auseinander, indem sie zeigt, wie in der Sprache ein „Eigenes" der Sprache mit einem „Eigenen" des Idioms konfligiert. Die idiomatischen Züge des Sprechens oder Schreibens anzuzeigen vermag man vielleicht; sie freizulegen – *als solche* – und rein abzuheben gegen den „Rest" der Sprache gelingt indes nicht – und somit kann dieser „Rest" auch nie als reines ideales Bedeuten die Grundlage abgeben für ein reines ideales, den Sinn hinübertragendes Übersetzen.

Für die Übersetzung eines Textes von Derrida über Heidegger bedeutet das eine ständige Auseinandersetzung mit den supplementären, aber keineswegs beliebigen Sinneffekten des Heideggerschen Textes in der französischen Übersetzung durch Derrida. Was hier an Zusätzlichem zum „ursprünglichen" Text erscheint, ist keineswegs Derivat, sondern aktualisiert Möglichkeiten, die diesem immer schon eingeschrieben sind. In ihrer Aktualisierung wird Ernst gemacht mit dem Anspruch der Philosophie, als Denken das Kontingente oder Idiomatische einer jeden nationalen Sprache hinter sich zu lassen; doch was sich im Übersetzen herausstellt, ist die Unhaltbarkeit dieses Anspruchs und die Angewiesenheit auf die diversen Sprachen, ja auf die Diversität der Sprachen. Was als Möglichkeit des philosophischen Gedankens aktualisiert wird, verdankt sich auch und gerade der Kontingenz, dem Idiom der anderen Sprache; und diesen Bezug gilt es zu erhalten – und zwar um jeden Preis, also auch um den einer Abweichung vom Original.

Die „Treue" einer Übersetzung hat sich hier gerade in der Dokumentation der „Untreue" zu bewähren, die jeder Übersetzung eignet, vor allem, wenn sie als Übersetzung einen Text übersetzt, der als solcher bereits den geläufigen Gebrauchsweisen der eigenen Sprache „untreu" wird. Das Problem wird im Rückübersetzen in die eigene Sprache also mitnichten entschärft – es potenziert sich vielmehr noch.

Wenn es in Derridas Texten über Heidegger und auch schon in Heideggers Texten selbst um das Verhältnis von *Zerstreuung* und *Versammlung* geht, so ist dieses Verhältnis eines, das keinesfalls auf eine bloß *thematische* Erörterung einzugrenzen wäre – es ist vielmehr ein Verhältnis, das den Vorgang des Übersetzens unmittelbar betrifft. Eine Übersetzung von *Geschlecht* und *Heideggers Hand (Geschlecht II)* kann gar nicht anders als aufs sorgfältigste die mannigfaltigen Verschiebungen und Verstellungen, die im Übersetzen in die andere Sprache zustandekommen, wiederum in der „eigenen" Sprache ankommen zu lassen.

Um dieser Verpflichtung auf die Verschiedenheit

– und Idiomatizität – der Sprachen und der damit gebotenen Chancen für Lektüre und Interpretation willen ist es auch unerläßlich gewesen, Derridas Paraphrasen von Passagen aus Texten Fichtes oder Heideggers auch da zu erhalten, wo eine Wiedergabe des Originals eine Glättung des Textes angeboten hätte.

En somme: „Der Übersetzer hat mit der Unmöglichkeit und der Notwendigkeit der Übersetzung an vier Fronten zu kämpfen: innerhalb des Textes, den Derrida liest; innerhalb dessen, was Derrida über diesen Text sagt; innerhalb des Weges, wie Derrida über diesen Text spricht; und innerhalb genau des Begriffs von Übersetzung, wie er von jedem dieser Felder impliziert wird."[1]

Die Übersetzung „hinein" in die fremde Sprache und die Lektüre aus der fremden Sprache „heraus" eröffnen einen Blick auf das Geschehen in dieser Sprache, indem sie das alltägliche Funktionieren einer geläufigen Sprachlichkeit durch Dekomposition unterbrechen. Jeder Übersetzungsvorgang beinhaltet die Chance einer Erschütterung der eingefahrenen Tropoi, über denen bestimmte Sprachbahnungen geschaltet sind. Nehmen wir, um nicht allzuweit abzuschweifen, *Heideggers Hand* und konkret einen Satz aus dem Seminar über *„Die Grundbegriffe der Metaphysik"*, auf das auch Derrida in einer Fußnote zu sprechen kommt: „So schnell wir bei der Hand sind in der Abschätzung des Menschen als eines höheren Wesens gegenüber dem Tier, so fragwürdig ist solche Beurteilung, zumal wenn wir bedenken, daß der Mensch tiefer sinken kann als das Tier..."[2] Alltagssprachlich ist das Idiomatische an Heideggers Bezug zur Hand unkenntlich, da das „bei der Hand ... sein" für einen leicht fallenden oder gar leichtfertigen Umgang mit den Dingen steht – die Hand muß buchstäblich dieser Funktionsschicht alltäglichen Funktionierens entzogen werden, um „als solche" in Erscheinung zu treten und ihren diskrimierenden Wert – zwischen Mensch und Tier – zu zeigen.

Dagegen ließe sich einwenden, daß man dafür keine Übersetzung bräuchte und keine „fremde“ Sprache.

Jedoch, was geschieht, wenn man in der „eigenen“ Sprache einen alltäglichen und – in Grenzen – verläßlichen Sprachgebrauch durchbricht? Man setzt sich mit der Sprache auseinander, indem man diese in ihre Bedeutungsmöglichkeiten auseinandersetzt – und damit je übersetzt. Die Übersetzung in eine andere Sprache gibt den Anstoß zur Übersetzung in der „eigenen“ Sprache; sie ist die beste Möglichkeit, die eigene Sprache für das andere – das andere ihrer „selbst“, wenn man ohne dieses „andere“ überhaupt von einem „Selbst“ der Sprache sprechen könnte, wenn das „Selbst“ der Sprache nicht gerade diese ihre Andersheit wäre – offenzuhalten. „In der Tat, Sprache kann nur in dem (Zwischen)Raum ihrer eigenen Fremdheit gegenüber sich selbst existieren.“ *(„Language, in fact, can only exist in the space of its own foreignness to itself.“)*[3]

Die Frage der *Verläßlichkeit* betrifft das Übersetzen – in die andere Sprache, in das andere Sprechen – nicht minder wie das Bedeuten in der „eigenen“ Sprache, im „eigenen“ Sprechen. Daß keine Übersetzung der Gefahr des Verrates je entraten kann, daß sie notwendig immer verraten muß – das anzuerkennen ist die erste Voraussetzung für die Frage nach der Verläßlichkeit des Übersetzens. Man kann versuchen, diesem Verhältnis von Verläßlichkeit und Verrat eine andere Gestalt zu geben, zum Beispiel, wie Heidegger es macht, wenn er das Verhältnis der Sprachen nach ihrem Vermögen zur Übersetzung aus dem Griechischen als der originären, wenngleich auch schon belasteten Sprache des Denkens hierarchisiert. Bekannt ist Heideggers Aversion gegen das Lateinische und die romanischen Sprachen:

„Diese Übersetzung der griechischen Namen in die lateinische Sprache ist keineswegs der folgenlose Vorgang, für den er noch heutigentags gehalten wird.

Vielmehr verbirgt sich hinter der anscheinend wörtlichen und somit bewahrenden Übersetzung ein Übersetzen griechischer Erfahrung in eine andere Denkungsart. *Das römische Denken übernimmt die griechischen Wörter ohne die entsprechende gleichursprüngliche Erfahrung dessen, was sie sagen, ohne das griechische Wort*. Die Bodenlosigkeit des abendländischen Denkens beginnt mit diesem Übersetzen."[4]

Eine besondere Empfänglichkeit für das griechische Denken spricht Heidegger der deutschen Sprache zu – eine Empfänglichkeit, die sich bereits auf dem Plan des Signifikanten erweist: die bereits lautlich vermerkte Entsprechung von *legein* und *legen, lesen* erweist die Eignung der deutschen Sprache und Denkungsart, im Wort der *lesenden Lege* die *Versammlung* als den Grundzug des *Logos* zu lesen *und* vorliegen zu lassen. Zwar bleibt im lateinischen Verb *legere* dieser Bezug zwischen dem Vorliegen-lassen und der Lese noch erhalten; doch bereits das Wort der *ratio* als Übersetzung für *Logos* unterbricht diese Weitergabe.[5]

Wer daraufhin gegen Heidegger den Vorwurf eines philosophischen oder politischen Nationalismus erhebt, macht es sich ein wenig leicht: der Topos einer besonderen Eignung des Deutschen als philosophischer Sprache wird, wie Derrida zeigt, auch von *Fichte* in seinen *Reden an die deutsche Nation* vertreten. Und zwar ohne daß die ideologischen Haltungen des Nationalismus und des Weltbürgertums sich zwangsläufig ausschließen.

Will man an das Idiomatische in der Weise, wie Heidegger das Übersetzen denkt, rühren, so muß man sich vor allem an den Wert der *Versammlung* halten, der in die Übersetzung von *Logos* durch *lesende Lege* miteingeht, wenn nicht gar dieser zugrundeliegt. Ihm entspricht ein, wie Derrida es nennt, „nostalgischer Wunsch danach, den Eigennamen, den einmaligen Namen des Seins zu entdecken".[6] Der zweifellos nicht ohne Bezug ist zu dem Gestus einer wiederholten Berufung auf so etwas wie eine *ursprüngliche Bedeutung*. Soll die *Versammlung* gewährleistet, zumindest aber möglich sein, so muß sie noch ihren Gegensatz durchwalten: die Zerstreuung – und damit auch die *Zerstreuung* im Akt des *Übersetzens*. Heidegger „schafft" Verläßlichkeit, indem er die Versammlung als „eigentliches" Signifikat aller Sprachakte – und aller wahren Sprechakte – zugrundelegt. Diese Anordnung mündet folgerichtig in interne Wertunterscheidungen: die gute, letztlich von einer Einheit des Bedeutens gehaltene Polysemie gegen die sich der Kontrolle durch die Versammlung entziehende Zerstreuung, Dissemination; und so tritt auch die Zerstreuung „in *zweifacher* Ausprägung" in Erscheinung: „als allgemeine Struktur des *Daseins* und als Modus der Uneigentlichkeit."[7]

Nicht anders für das Übersetzen: Heideggers Forderung ist die, „diese Worte", entgegen der überflüssigerweise erfolgten, schlechten Übersetzung ins Lateinische *(ens – esse)* oder ins Deutsche (Seiendes – Sein), „endlich ins Griechische zu übersetzen".[8] Der absolute Bezugspunkt für Heideggers Arbeit des Übersetzens ist also das Griechische selbst – und zuweilen liest es sich bei Heidegger so, als wäre das Übersetzen um seinetwillen gar nicht mehr vonnöten, als wäre er schon im Bereich des Sagens, in den hinein zu übersetzen er unablässig verlangt, als hätte er immer schon übersetzt, was noch zu übersetzen aufgegeben bleibt, als wäre er der selbstgestellten Aufgabe immer schon voraus – und doch auch wieder nicht, wie die gleichfalls unablässige Wiederaufnahme der Aufgabe zeigt.

Doch kann die Weise, in der Heidegger das Übersetzen denkt – und praktiziert –, hier nicht weiter erörtert werden. Man müßte an den Bezug zwischen Sprache und Sprechen rühren. Man müßte nach dem Gebrauch und dem Brauch, dem Sprung, der Fuge und der Verfügung fragen. Und man müßte auf die syntaktischen Prozeduren, insbesondere die Parataxis als Fluchtpunkt des Übersetzens ins Griechische, zu sprechen kommen. Das alles kann hier nicht geschehen.

Allein mit dem Hinweis auf die *Parataxis* ergibt sich die Gelegenheit, auf eine der Differenzen zwischen Heidegger und Derrida hinsichtlich des Übersetzens hinzuweisen. Die Parataxis bei Heidegger liest sich wie ein Vorgang der Reinigung der Sprache von ihren unsichtbaren Verfügungen (und Verfugungen). Was bleibt, sind Doppelpunkte, mit denen der Anspruch erhoben wird, eine Selbigkeit der metaphysischen Grundworte offenzulegen und zu markieren. Doch die Auflösung der syntaktischen Verfügungen im Übersetzen in die parataktische Version löscht nicht alle Fugen aus; im Gegenteil tritt nunmehr die Fuge hervor, welche die Grundworte des abendländischen Denkens zueinander verhält. Denn die Doppelpunkte zeigen das „Zwischenfeld" an – zwischen den Worten –, in denen „der Spruch *spricht*".[9] Heidegger sagt es nicht offen, aber seine Andeutungen laufen darauf hinaus: das Syntaktische – insbesondere im Übersetzen – verstellt das Ungesagte des *Sprechens* des Spruches.

Für Derrida ist das Syntaktische Kriterium einer Differenz zwischen zwei Weisen des Übersetzens: einer klassischen der „transportierbaren Eindeutigkeit oder der formalisierbaren Polysemie" – und dieser fügt sich Heidegger in bestimmten Zügen immer wieder ein – und einer „anderen, welche den Rand zur Dissemination hin überschreitet".[10] Denn gerade die Syntax zeitigt Bedeutungseffekte, die sich der Einheit eines Bedeutens nicht fügen. Mit ihr kommt die *Versammlung* als alles Sagen beherrschender Wert ins Wanken. Für Derrida ist die Syntax irreduzibel. Und damit auch eine Dissemination, eine Zerstreuung, die man – wollte man einer Konzeption transzendentaler Bedingungen der Möglichkeit noch vertrauen – sogar, und zwar in gewollter Analogie zu Heidegger, als eine „transzendentale Zerstreuung" bezeichnen könnte. Wenn sie nicht eher noch eine Bedingung der Unmöglichkeit wäre – der Unmöglichkeit von *Versammlung* und ihrer *Verläßlichkeit*.

Daß gerade die Syntax die größte Herausforderung für die Übersetzung ist, braucht nicht eigens betont zu werden – man kann es ablesen an den im Umlauf befindlichen verschiedenen Vorschlägen, wie – Derrida – zu übersetzen sei.

Und noch etwas: nichts in diesen beiden Texten, so sie gelesen werden, gestattet es, Derrida als „prominentesten Heideggerianer"[11] zu apostrophieren. Wie auch die früheren Texte Derridas dieses nicht gestattet haben – so man sie sorgfältig und redlich gelesen hat.

Haus-Dieter Gondek

Anmerkungen

Geschlecht

* Ein Sternchen bedeutet durchgehend: Im Original deutsch. *(A. d. Ü.)*

1 Wie der folgende Essay „Heideggers Hand, Geschlecht II" begnügt sich der vorliegende (der zuerst im HEIDEGGER gewidmeten und von Michel HAAR herausgegebenen „Cahier de l'Herne" 1983 veröffentlicht worden ist) damit, in nahezu vorläufiger Weise eine zukünftige Interpretation zu umreißen, mit der ich *Geschlecht** auf dem Denkweg HEIDEGGERS erörtern möchte. Und auch auf seinem Weg der Schrift, und nicht umsonst wird es in ihr zum Eindruck, zur markierten Einschreibung des Wortes *Geschlecht** kommen. Dieses Wort belasse ich hier in seiner Sprache, aus Gründen, die sich im weiteren Verlauf dieser Lektüre von selbst ergeben sollten. Und es geht dabei genau um *„Geschlecht*"* (um das Wort für *sexe, race, famille, génération, lignée, espèce, genre*) und nicht um *das Geschlecht*:* man wird nicht so leicht unterwegs zur Sache selbst (das *Geschlecht**) die Marke des Wortes *(„Geschlecht*")* durchbrechen, an welcher HEIDEGGER sehr viel später die Prägung durch den *Schlag* vermerken wird. Er wird dieses in einem Text tun, über den wir hier nicht sprechen werden, aber zu dem hin diese Lektüre ihren Fortgang nehmen wird, durch den ich sie in Wahrheit bereits angezogen weiß: „Die Sprache im Gedicht. Eine Erörterung von Georg Trakls Gedicht" (1953 – in: Unterwegs zur Sprache, 36). Übersetzt durch Jean BEAUFRET, in: Acheminement vers la parole, 1976: la Parole dans l'élément du poème, Situation du Dict de Georg Trakl.

2 Das hier mit „durchkämmen" übersetzte Verb *ratisser* heißt umgangssprachlich auch „beklauen". *(A. d. Ü.)*

3 Martin HEIDEGGER, Unterwegs zur Sprache, Pfullingen 1959, 79.

4 Zur Erläuterung dieser Passage ist der Hinweis auf eine etymologische Bestimmung des „Ortes", die HEIDEGGER im genannten Text über TRAKL in „Unterwegs zur Sprache" gibt, angezeigt (37): „Ursprünglich bedeutet der Name ‚Ort' die Spitze des Speers. In ihr läuft alles zusammen." *(A. d. Ü.)*

5 Sein und Zeit, § 2, 7-8.

6 Metaphysische Anfangsgründe der Logik im Ausgang von Leibniz, Gesamtausgabe Band 26, Frankfurt 1978.
7 Sein und Zeit, 7 (Hervorhebung im Original).
8 Ebenda (Hervorhebung im Original).
9 Ebenda.
10 Metaphysische Anfangsgründe, 171 („das Dasein" wird bereits von HEIDEGGER, „Mensch" ausschließlich von DERRIDA hervorgehoben).
11 Ebenda 172.
12 Sein und Zeit, 38 (der Satz wird bereits von HEIDEGGER hervorgehoben – *A. d. Ü.*).
13 Ebenda.
14 *L'asexualité* hört sich – gesprochen – nicht anders an als *la sexualité*, „die Sexualität", „die Geschlechtlichkeit". *(A. d. Ü.)*
15 Metaphysische Anfangsgründe, 172.
16 Platons Lehre von der Wahrheit, in: Wegmarken, Frankfurt 1978, 236 (letzter Absatz der Schrift).
17 Das hier mit „in Gang bringen" übertragene Verb *amorcer* bezeichnet auch den Vorgang des „Köderns" oder des „mit einem Köder Versehens". *(A. d. Ü.)*
18 *ressaisir – se ressaisir* heißt auch „sich ermannen". *(A. d. Ü.)*
19 In: Wegmarken, 156.
20 Der – syntaktische – Unterschied zwischen *être-je* und dem *être-moi*, desgleichen für *tu* und *toi*, läßt sich im Deutschen nicht wiedergeben: mit *je* bezeichnet sich das sprechende Subjekt im Akt der direkten Rede, nimmt es Bezug auf sich als sprechendes, während mit *moi* das objektivierbare „Ich" bezeichnet wird, welches auch das „Ich" der Philosophie ist.
21 Metaphysische Anfangsgründe, 172 (Hervorhebung im Original).
22 Sein und Zeit, 89.
23 Ebenda, § 72, 375 (Hervorhebungen im Original, aus dem DERRIDA zitiert).
24 Ebenda, insbesondere § 75, 390.
25 Das lateinische Verb *distendere* bedeutet sowohl „ausdehnen", „ausspannen" als auch – über eine metonymische Verschiebung – „auseinanderhalten", „teilen", „zerstreuen". *(A. d. Ü.)*
26 Sein und Zeit, 374 (Hervorhebungen im Original, aus dem DERRIDA zitiert).
27 Vgl. ebenda, 390 (als ein Beispiel).
28 Metaphysische Anfangsgründe, 174; vgl. auch bezüglich dieses Punktes „Sein und Zeit", 166.
29 *jetée* heißt auch „Mole", „Hafendamm", „Pier". *(A. d. Ü.)*
30 Zu bedenken ist in diesem Zusammenhang auch, daß der Begriff des Gegenstandes als Übersetzung des lateinischen *objectum* noch zu LESSINGS Zeiten im Terminus des „Gegenwurfs" ernsthafte Konkurrenz hatte – worauf auch HEIDEGGER hinweist; vgl. Der Satz vom Grund, Pfullingen 1957, 139. *(A. d. Ü.)*

31 Metaphysische Anfangsgründe, 174 (*Mitsein* ist bereits von HEIDEGGER hervorgehoben – *A. d. Ü.*).
32 Ebenda 174-175.
33 In HEIDEGGERS Vorlesung heißt es an betreffender Stelle: „...hat zur metaphysischen Voraussetzung die Zerstreuung des Daseins als solchen, d. h. das Mitsein überhaupt" (Metaphysische Anfangsgründe, 175 – *A. d. Ü.*).
34 Vgl. Sein und Zeit, § 26, 119.
35 Eine Übersetzung von *situation* mit „Erörterung" greift vor auf einen Übersetzungsvorschlag, den DERRIDA selbst gibt im nachfolgenden zweiten Essay: Heideggers Hand (Geschlecht II); vgl. im vorliegenden Band.
36 § 10, 50.
37 Ebenda.
38 Ebenda 58.
39 Ebenda 56.
40 Während *dispersion* die „Zerstreuung" im Sinne des „Ausstreuens" benennt, gibt *distraction* die „Zerstreuung" im Sinne des „Zerstreut-Seins", der *Verwirrung*, oder auch der (gesuchten) „Ablenkung" wieder. *(A. d. Ü.)*
41 Vgl. Sein und Zeit, § 27, 129.
42 § 36, 172.
43 Vgl. § 38, 175-180. *(A. d. Ü.)*
44 Ebenda, § 27, 126 (*das Man* ist bereits von HEIDEGGER hervorgehoben – *A. d. Ü.*).
45 *L'arraisonnement* besagt zunächst die „Überprüfung eines Schiffes" hinsichtlich der hygienischen Umstände oder der Rechtmäßigkeit der Ladung (Schmuggelgut). Des weiteren ist es die substantivierte Form von *arraisonner:* „sich an jemanden wenden", „jemanden zu überzeugen versuchen". Im Kontext der Übersetzungen von Texten HEIDEGGERS ins Französische stellt *l'arraisonnement* einen Versuch dar, das Heideggersche „Gestell" zu übertragen. André PRÉAU, der Übersetzer der „Vorträge und Aufsätze" (Pfullingen 1954), merkt dazu an (Essais et conférences, Paris 1958, 26): „Die Technik stellt *(arraisonne)* die Natur, hält sie fest und inspiziert sie, ar-räsoniert *(ar-raisonne)* sie, das heißt, bringt sie zur Vernunft, indem sie sie dem Reich der Vernunft eingliedert, welche von jeder Sache fordert, daß sie Vernunft *(raison)* wiedergibt, daß sie ihren Grund *(raison)* angibt." *(A. d. Ü.)*
46 Vgl. Heideggers Hand (Geschlecht II) im vorliegenden Band und De l'esprit, Heidegger et la question, 137 ff.

Heideggers Hand (Geschlecht II)

1 „Heideggers Hand (Geschlecht II)" ist ein im März 1985 in Chicago (an der Loyola University) anläßlich eines von John SALLIS organisierten Kolloquiums – dessen Protokolle mittlerweile von der University of Chicago Press veröffentlicht worden sind (John SALLIS (Hg.), Deconstruction and Philosophy, 1987) – gehaltener Vortrag.
2 HEIDEGGER, Die Technik und die Kehre, Pfullingen 1962, 40 (Hervorhebung von J.D.).
3 ARTAUD, Messages révolutionnaires. La peinture de MariaIzquierdo, Œuvres, Tome VII, Paris 1971, 254/dt.Revolutionäre Botschaften. Maria Izquierdos Malerei, in:Antonin ARTAUD, Die Tarahumaras. Revolutionäre Botschaften,München 1975, 253 (Hervorhebung von J.D. *Übersetzung leicht modifiziert – A. d. Ü.*)
4 „Geschlecht, sexuelle Differenz, ontologische Differenz", der erste Text im vorliegenden Band. *(A. d. Ü.)*
5 Johann Gottlieb FICHTE, Reden an die deutsche Nation, Siebente Rede, in: Fichtes Werke, hg. von Immanuel Hermann FICHTE, Band VII, Berlin 1971, 375 (Hervorhebung von J.D.).
6 Johann Gottlieb FICHTE, Reden an die deutsche Nation, Vierte Rede, 320.
7 Ebenda.
8 Ebenda 320-322.
9 Vgl. Karl MARX und Friedrich ENGELS, Die deutsche Ideologie, in: Marx-Engels-Werke, Band 3, Berlin (Ost) 1958, 476. *(A. d. Ü.)*
10 Dieser Brief ist im Original nach der französischen Übersetzung zitiert, die im Cahier de l'Herne: Heidegger, Paris 1983 (401-403 in der Ausgabe von 1986) veröffentlicht worden ist. Auf deutsch ist dieser Brief bislang allein im Anhang – als Appendix C – zu einer auf Mikrofilm erhältlichen amerikanischen Dissertation (Karl A. MOEHLING, Martin Heidegger and the Nazi Party: An examination, unpublished Ph.D. dissertation, Northern Illinois University, 1972, Ann Arbor Microfilms, No. 72-29, 319) „zugänglich" – in einer im übrigen sehr fehlerhaften Abschrift. Herr Professor MARTIN vom Historischen Seminar der Albert-Ludwigs-Universität, Freiburg, der eine Veröffentlichung dieses Briefes vorbereitet, ist so freundlich gewesen, mir eine Kopie dieses Briefes zu überlassen. Dafür möchte ich ihm an dieser Stelle sehr herzlich danken. *(A. d. Ü.)*
11 Der DUDEN gibt für „Monstrum" als vom Lateinischen herkommende Bedeutung „Mahnzeichen" an *(„monere")*. Unterschieden werden folgende Gebrauchsweisen: 1. Monster, Ungeheuer, Scheusal; 2. (meist emotional) etwas von großen, als zu gewaltig empfundenen Ausmaßen; großer, unförmiger, schwerer Gegenstand; Ungetüm; 3. Mißgeburt, mißgestalteter Fötus. *(A. d. Ü.)*
12 Martin HEIDEGGER, Unterwegs zur Sprache, Pfullingen 1959, 252.

13 Ebenda 253.
14 *pas* bedeutet „Schritt" und „nicht". *(A. d. Ü.)*
15 Martin HEIDEGGER, Was heißt Denken?, Tübingen 1971, 51
16 Vgl. G. W. F. HEGEL, Phänomenologie des Geistes, in: Werke (Theorie Werkausgabe), Band 3, Frankfurt 1970, 236f.
17 *C'est dans ce passage que je découpe, si l'on peut dire, la forme et le passage de la main: la main de Heidegger,* was sich von der Syntax her auch übersetzen läßt: „In diesem von mir, wenn man es so sagen kann, ausgeschnittenen Übergang finden sich Form und Übergang der Hand: Heideggers Hand." *(A. d. Ü.)*
18 *étudié:* was auch „kalkuliert", „gekünstelt", „geheuchelt" heißen kann. *(A. d. Ü.)*
19 Martin HEIDEGGER, Was heißt Denken?, 49 (Hervorhebung von J.D.).
20 Im Original heißt es: ...*est-il le premier parce qu'il pense déjà (ce) que nous ne pensons pas encore... (A. d. Ü.)*
20 Die Übersetzung von *situation* durch „Erörterung" greift vor auf einen von DERRIDA später in diesem Text selbst gegebenen Vorschlag; vgl. im vorliegenden Band Seite 83. *(A. d. Ü.)*
22 Martin HEIDEGGER, Was heißt Denken?, 49.
23 Im Original liest sich der hier paraphrasierte Satz HEIDEGGERS wie folgt: „Lernen heißt: das Tun und Lassen zu dem in die Entsprechung bringen, was sich jeweils an Wesenhaftem uns zuspricht." (ebenda – *A. d. Ü.*)
24 *il entend parler:* „er hört sprechen", aber auch, „er hat vor/er beabsichtigt zu sprechen". *(A. d. Ü.)*
25 Ebenda 50.
26 Ebenda (DERRIDA gibt als Übersetzung für „das Dichten" *l'écrire poétique. – A. d. Ü.)*
27 Ebenda 50f.
28 Vgl. Die Selbstbehauptung der deutschen Universität/Das Rektorat 1933–34, Frankfurt 1983, 16 und 17, wo HEIDEGGER von „äußerlicher Berufsabrichtung" spricht *(A. d. Ü.)*.
29 Was heißt Denken?, 51.
30 Ebenda.
31 An anderer Stelle werde ich, gleichfalls so nahe wie möglich, die Ausführungen studieren, die HEIDEGGER der Animalität in „Die Grundbegriffe der Metaphysik" (Seminar von 1929-1930, Gesamtausgabe 29/30, Frankfurt 1983, Zweiter Teil, Viertes Kapitel) gewidmet hat. Ohne eine grundsätzliche Diskontinuität scheinen mir diese Ausführungen die Grundlage zu bilden für die von mir hier befragten, ob es sich dabei 1. um die klassische Geste handelt, darin bestehend, die Zoologie als eine regionale Wissenschaft anzusehen, der das Wesen der Animalität im allgemeinen vorauszusetzen ist, welches HEIDEGGER alsdann ohne die Hilfe des wissenschaftlichen Wissens zu beschreiben in Angriff nimmt (vgl. § 45); oder 2. um die These: *„Das Tier ist weltarm*"* – die mittlere These zwischen zwei weiteren *(der Stein ist weltlos*,* und

der Mensch ist weltbildend)* – eine sehr hindernisreiche Analyse, in deren Verlauf HEIDEGGER, wie mir scheint, große Mühe hat, eine Armut, ein *Armsein** und ein *Entbehren** als die wesentlichen, jeder empirischen Bestimmung gradueller Differenzen fremden Merkmale zu bestimmen (287) und den ursprünglichen Modus dieses Habens-ohne-zu-haben des Tieres, das Welt hat und nicht hat, aufzuklären (*Das Haben und Nichthaben von Welt*;* § 50); oder 3. um die phänomenal-ontologische Modalität des *als** – das Tier habe keinen Zugang zum Seienden *als** Seiendem (290ff.). Diese letzte Unterscheidung dürfte der Anlaß sein zu einer Präzisierung: daß nämlich die Differenz zwischen dem Menschen und dem Tier weniger einer Opposition zwischen geben-können und nehmen-können entspricht als der Opposition zwischen *zwei Weisen (manières)* des Nehmens oder Gebens: die eine, die des Menschen, ist die *als solche* zu geben und zu nehmen, und zwar Seiendes oder Gegenwärtiges [*present;* was im Französischen auch „Geschenk" heißt – *A. d. Ü.*] *als solches;* die andere, die des Tieres, bestände darin, weder *als solche* zu geben noch zu nehmen. Siehe dazu weiter unten, Seite 69f., und De l'esprit. Heidegger et la question, Paris 1987, 75ff.

32 Was heißt Denken?, 51.
33 Ebenda.
34 Ebenda.
35 Paris 1972, 315-326/ dt. Gabe und Tausch im indo-europäischen Wortschatz, in: Probleme der allgemeinen Sprachwissenschaft, München 1974, 350–362.
36 Gesamtausgabe 29/30, 290.
37 Sein und Zeit, Tübingen 1976, 69.
38 *Zeug* wird von HEIDEGGER *und* DERRIDA hervorgehoben.
39 Sein und Zeit, 68.
40 Parmenides, 118.
41 Dieser Satz DERRIDAS paraphrasiert HEIDEGGERS Satz aus dem Seminar über „Parmenides" (118), allerdings mit einer Abweichung im Detail – HEIDEGGER setzt *die Hand* und *haben,* je gesondert, in Anführungszeichen: „...kann auch und muß ‚die Hand' ‚haben'". *(A. d. Ü.)*
42 Ebenda 118.
43 Ebenda 119.
44 Ebenda.
45 DERRIDAS Entscheidung, die „Art" (des Schreibens) durch *l'art (de l'écrire)* zu übersetzen beziehungsweise nicht zu übersetzen, das heißt durch Nicht-Übersetzen zu übersetzen, findet eine beschränkte Rechtfertigung [beschränkt wie jede Rechtfertigung, die über die Etymologie, über ein Herkunftswörterbuch oder über eine Enzyklopädie erfolgt. DERRIDA hat auf diese Beschränkung mehrfach hingewiesen, so zum Beispiel in: Éperons. Les styles de Nietzsche, Venedig 1976, 122-5 (viersprachige Ausgabe), der deutsche Text „Sporen. Die Stile Nietzsches" auch

in: Werner HAMACHER (Hg.), Nietzsche aus Frankreich, Frankfurt–Berlin–Wien 1986, 127f.] im Artikel „Art" des Deutschen Wörterbuches von Jacob und Wilhelm GRIMM (München 1984, Band 1, Spalte 571) in einer Passage, die auch die *Hand* wieder ins Spiel bringt: *„Die belege zeigen, wie* art *und* unart, alte *und* neue art *einander gegenüberstehn. in der letzten bedeutung ist* art *gleichviel mit* mode, *was man früher auch* alte hand *und* neue hand *nannte. ... wie sonst* art *und* werk *zusammengestellt wurden, verbinden sich heute* art *und* kunst." Der Zug zur Kunst liegt auch der Reihe *art, manier, geschick, tüchtigkeit* inne, mit der ein weiteres Bedeutungsfeld des Nomens „Art" überschrieben wird (ebenda). Doch nicht nur die Hand mischt sich ein, sondern auch das Geschlecht: steht doch nicht nur *art* für *genus, nobilitas* sowie *genus, geschlecht, abkunft* (ebenda, Spalte 570), sondern auch *die Kunst* beziehungsweise das Verb *können* stehen in Verwandtschaft mit einem Wort für *geschlecht: künne* oder *kunne* (vgl. Band 11,Spalte 2663, sowie Dorothea ADER, Studien zur Sippe von d. *schlagen,* Diss. Münster 1958, 13ff.). *(A. d. Ü.)*

46 Parmenides, 119.
47 Ebenda.
48 Ebenda 124ff.
49 Ebenda 126.
50 Ebenda.
51 Ebenda 125.
52 Ebenda 127.
53 Was heißt Denken?, 52.
54 Ebenda 5.
55 Ebenda 52.
56 In: Jacques DERRIDA, Ousia und gramme, in: Marges de la philosophie, Paris 1972, 31–78; dt: Randgänge der Philosophie, Wien 1988, 53–84. *(A. d. Ü.)*
57 In: Holzwege, Frankfurt 1950, 337.
58 Ebenda 340.
59 Ebenda.
60 Vgl. La vérité en peinture, Paris 1978, 291ff.
61 Während das Denken und sogar die Frage (jene „Frömmigkeit des Denkens") ein Werk *der* Hand sind, während sogar noch die im Gebet gefalteten Hände oder der Schwur die Hand in sich selbst, in ihr Wesen und in ihre Zusammengehörigkeit mit den Denken, versammeln, wird umgekehrt das „mit beiden Händen greifen" von HEIDEGGER herabgewürdigt: als Geschäftigkeit einer von Nutzen bestimmten Gewalt, als Beschleunigung aufgrund der Technik, welche die Hand in die Zahl zerstreut und vom fragenden Denken abschneidet. Als ob das Ergreifen der beiden Hände/das Ergreifen mit beiden Händen *(la prise des deux mains)* eine denkende Frage verderben oder verletzen würde, welche allein von *einer* Hand, *von der* einzelnen Hand, eröffnet oder bewahrt werden könnte: jetzt/handhaltend [*maintenant:*

„jetzt", ist das Partizip Präsens des Verbs *maintenir:* „(aufrecht)erhalten", welches durch Zusammensetzung der „Hand": *la main* mit dem Verb *tenir:* „halten" gebildet wird – *A. d. Ü.*] eröffnet. So steht am Ende der „Einführung in die Metaphysik": „Fragen können heißt: warten können, sogar ein Leben lang. Ein *Zeitalter** jedoch, dem nur das *wirklich** ist, was schnell geht und *sich mit beiden Händen greifen läßt**, hält das Fragen für *‚wirklichkeitsfremd*'*, für solches, *was sich nicht bezahlt macht**. Aber nicht die *Zahl** ist das Wesentliche, sondern *die rechte Zeit**..." (Tübingen 1953, 157). Ich möchte Werner HAMACHER dafür danken, daß er mich auf diese Passage aufmerksam gemacht hat.
Bezüglich dieser anderen „Kehre", die ich um die Frage und die Frage (nach) der Frage herum zu beschreiben oder auf ihren Ort hin zu bestimmen versuche, vgl. De l'esprit, Heidegger et la question, Paris 1987, insbesondere 147ff.

62 Paris 1976, 39ff. – Man wird vielleicht überrascht sein, mich zu sehen, wie ich eine französische Übersetzung von HEIDEGGER in einem auf englisch gehaltenen Vortrag zitiere. Ich mache das aus zwei Gründen. Zum einen, um nicht die Zwänge oder die Chancen des Idioms auszulöschen, in dem ich selbst arbeite, lehre, lese oder schreibe. Was Sie in diesem Moment hören, ist die Übersetzung eines Textes, den ich zunächst auf Französisch schreibe. Zum anderen habe ich angenommen, daß der Text HEIDEGGERS noch etwas zugänglicher werden, etwas an supplementärer Lesbarkeit gewinnen könnte, wenn er somit über ein drittes Ohr zu Ihnen gelangt. Die *Auseinandersetzung** mit einer Sprache mehr kann unsere *Übersetzung** des Textes, den man das „Original" nennt, verfeinern. Ich sprach gerade vom Ohr des anderen als von einem dritten Ohr. Das geschah nicht allein, um die Beispiele von Paaren (die Füße, die Hände, die Ohren, die Augen, die Brüste, usw.) und all die Probleme, die sich damit für HEIDEGGER stellen müßten, bis zum Exzeß zu vervielfältigen. Es dient auch dem Ziel, deutlich zu machen, daß man, wie ich es getan habe, mit drei Händen zwischen drei Sprachen in die Maschine schreiben kann. Ich wußte, daß ich den Text, den ich in Französisch über einen anderen schrieb, den ich in Deutsch las, in Englisch vorzutragen habe.

63 Im französischen Text heißt es *„la pensée ou la voie à sens unique"*, wobei *voie à sens unique* die Bezeichnung für die „Einbahnstraße" ist. Vom „eingleisigen Denken" handelt HEIDEGGER in: Was heißt Denken?, 55ff. *(A. d. Ü.)*

64 Unterwegs zur Sprache, 49.

65 Ebenda 78.

66 Vgl. ebenda 37-39 *(A. d. Ü.)*.

67 Ebenda 196. Vgl. Jacques DERRIDA, Le retrait de la métaphore, in: Psyché, Inventions de l'autre, Paris 1987, 88; dt. Der Entzug der Metapher, in: Volker BOHN (Hg.), Romantik. Literatur und Philosophie, Frankfurt 1987, 348.

68 *Foyer* benennt sowohl den „Brennpunkt" beispielsweise einer Ellipse als auch den (heimischen) „Herd", die „Heimat", den „Sitz", den „Versammlungs-Ort" der Familie; *fonder un foyer* heißt: „eine Familie gründen" – vgl. auch Jacques DERRIDA, feu la cendre, Paris 1987, 25; dt. Asche und Feuer, Berlin 1988, 25. *(A. d. Ü.)*
69 Unterwegs zur Sprache, 75.
70 Auf diesen besonderen Charakter des Heideggerschen Schreibens hat DERRIDA bereits in seinem 1968 erstmals veröffentlichten Text „ousia et grammè, note sur une note de Sein und Zeit" hingewiesen (Marges, 75/dt. Randgänge, 82). *(A. d. Ü.)*
71 Es ist inzwischen unter dem Titel „Intimations of mortality. Time, Truth and Finitude in Heidegger's Thinking of Being", erschienen: The Pennsylvania State University Park and London 1986, 165.
72 Unterwegs zur Sprache, 37.
73 Siehe De l'esprit, Heidegger et la question, Paris 1987.
74 Unterwegs zur Sprache, 60.
75 Ebenda 41.
76 Zu beachten ist die Homophonie von *sans,* „ohne" und *sens,* „Sinn". *(A. d. Ü.)*
77 Unterwegs zur Sprache, 53.
78 Ebenda 50.
79 Ebenda 76.

Nachwort des Übersetzers

1 Barbara JOHNSON, Taking Fidelity Philosophically, in: Joseph F. GRAHAM (Hg.), Difference in Translation, Ithaca and London 1985, 147.
2 Gesamtausgabe 29/30, Frankfurt 1983, 286.
3 Barbara JOHNSON, Taking Fidelity Philosophically, 146.
4 Der Ursprung des Kunstwerkes, in: Holzwege, Frankfurt 1980, 7 (Hervorhebungen im Original).
5 Vgl. Logos (Heraklit, Fragment 50), in: Vorträge und Aufsätze, Pfullingen 1954, 199 ff, und Was heißt Denken?, 121.
6 In einem Gespräch zwischen Richard KEARNEY und Jacques DERRIDA, in: Richard KEARNEY, Dialogues with contemporary Continental thinkers, Oxford 1984, 110.
7 Vgl. im vorliegenden Band Seite 41.
8 Was heißt Denken?, 140.
9 Ebenda 114 (Hervorhebung im Original). Es folgt eine Erörterung des Status subjektloser Sätze vom Schlage des „es gibt" oder

„es braucht“ – und die Bestimmung eines Mangels, die nach der Lektüre von „*Geschlecht,* sexuelle Differenz, ontologische Differenz“ nicht zu überraschen braucht: das *Es* als *Neutrum* ist nicht hinreichend bestimmt, wenn es allein aus der Abwesenheit der beiden *Geschlechter* beziehungsweise der Merkmale des Geschlechts bestimmt wird (vgl. ebenda 115).

10 Jacques DERRIDA, Survivre/Journal de Bord, in: Parages, Paris 1986, 139.

11 Wie letztens Jürg ALTWEGG in einem Artikel über Sarah KOFMAN: „Schreiben nach – und über – Auschwitz“, in der Wochenendbeilage der Frankfurter Allgemeinen Zeitung vom 9. April 1988.

Edition Passagen

Herausgegeben von Peter Engelmann

1 **Recht auf Einsicht**
Von Marie-Françoise Plissart (Photographie) und Jacques Derrida (Text)

2 **Grabmal des Intellektuellen**
Von Jean-François Lyotard

3 **Apokalypse**
Von einem neuerdings erhobenen apokalyptischen Ton in der Philosophie.
No Apocalypse, not now (full speed ahead, seven missiles, seven missives)
Von Jacques Derrida

4 **Die Mauer des Pazifik**
Eine Erzählung
Von Jean-François Lyotard

5 **Schreiben wie eine Katze...**
Zu E. T. A. Hoffmanns „Lebens-Ansichten des Katers Murr“
Von Sarah Kofman

6 **Philosophien**
Gespräche mit Michel Foucault, Kostas Axelos, Jacques Derrida, Vincent Descombes, André Glucksmann, Emmanuel Lévinas, Jean-François Lyotard, Jacques Rancière, Paul Ricœur, Michel Serres

7 **Das postmoderne Wissen**
Ein Bericht
Von Jean-François Lyotard

Passagen Verlag

Edition Passagen

Herausgegeben von Peter Engelmann

8 **Positionen**
Von Jacques Derrida

9 **Melancholie der Kunst**
Von Sarah Kofman

10 **Jenseits vom Subjekt**
Von Gianni Vattimo

11 **Ethik und Unendliches**
Von Emmanuel Lévinas

12 **Schibboleth**
Von Jacques Derrida

13 **Postmoderne für Kinder**
Briefe aus den Jahren 1982–1985
Von Jean-François Lyotard

14 **Derrida lesen**
Von Sarah Kofman

15 **Das Andere selbst**
Habilitation
Von Jean Baudrillard

16 **Das Vergessen der Philosophie**
Von Jean-Luc Nancy

17 **Der Enthusiasmus**
Kants Kritik der Geschichte
Von Jean-François Lyotard

Passagen Verlag

Passagen Philosophie

Herausgegeben von Peter Engelmann

Vier Fragen zur Philosophie in Afrika, Asien und Lateinamerika
Von Franz M. Wimmer (Hrsg.)

Randgänge der Philosophie
Erste vollständige deutsche Ausgabe
Von Jacques Derrida

Freud-Legende
Vier Studien zum psychoanalytischen Denken
Von Samuel Weber

Passagen Kunst

Das gläserne U-Boot
Von Edith Almhofer/Ulli Lindmayr/Eleonore Louis (Hrsg.)

Passagen Verlag